高等职业教育机电系列教材

# 冲压与塑压设备

王浩钢　主　编

李海平　副主编

程贵生　主　审

人民邮电出版社

北　京

**图书在版编目（CIP）数据**

冲压与塑压设备 / 王浩钢主编. —北京：人民邮电出版社，
2008.6

高等职业教育机电系列教材

ISBN 978-7-115-17814-5

Ⅰ．冲… Ⅱ．王… Ⅲ．①冲压机—高等学校：技术学校
—教材②塑料成型加工设备—高等学校：技术学校—教材
Ⅳ．TG385.1 TQ320.5

中国版本图书馆 CIP 数据核字（2008）第 032407 号

## 内 容 提 要

　　本书为适应高职高专院校模具类专业的教学需要而编写。全书共分 5 章，主要内容有：绪论、塑料注射成型机、通用压力机、液压机、其他成型设备等。本书各章设有思考题，便于学生更好地掌握所学内容。

　　本书可作为高职高专、技师学院、高级技工学校模具类专业教材，也可作为成人教育和职工培训教材，并可供相关技术人员参考。

高等职业教育机电系列教材

**冲压与塑压设备**

◆ 主　　编　王浩钢
　　副 主 编　李海平
　　主　　审　程贵生
　　责任编辑　潘新文

◆ 人民邮电出版社出版发行　　北京市崇文区夕照寺街 14 号
　　邮编　100061　电子函件　315@ptpress.com.cn
　　网址　http://www.ptpress.com.cn
　　北京艺辉印刷有限公司印刷
　　新华书店总店北京发行所经销

◆ 开本：787×1092　1/16
　　印张：9.25
　　字数：222 千字　　　　　　　　2008 年 6 月第 1 版
　　印数：1－3 000 册　　　　　　　2008 年 6 月北京第 1 次印刷

ISBN 978-7-115-17814-5/TN

定价：18.00 元

**读者服务热线：（010）67170985　印装质量热线：（010）67129223**
**反盗版热线：（010）67171154**

# 前　言

本书根据作者长期工程实践和教学工作的经验编写而成。在内容的安排上，大胆取舍并注重创新，与过去同类教材相比，重点突出，仅挑选了在模具企业中应用最为广泛的设备型号，深入浅出地讲解了设备的工作原理、结构、维护等内容，并且补充了模具专业学生需要掌握的工厂实践内容，以达到能真正提高高职高专、技师学院的模具专业学生的技能水平。

本书突出职业教育特色，以增强应用性、加强能力与素质培养为指导，根据工程实践对设备知识与操作能力的要求和学科自身规律，突破传统专业教材的框框，建立了新的教学内容体系。本书第 1 章介绍了冲压塑压设备的发展概况和这门课程的学习方法，第 2 章介绍了注塑机的工作原理、结构、使用及维护，第 3 章介绍了通用曲柄压力机的工作原理、结构、使用及维护，第 4 章介绍了液压机的工作原理和基本结构，并重点介绍了液压机在冲压和塑压设备中的应用，最后一章介绍了企业中应用比较广泛的其他成型设备。本书注意贯彻最新国家标准，内容翔实，重点突出。

本书在讲授时，可根据实际情况将内容作适当增减，学时数控制在 40 学时左右。本课程需要 4 学时以上的实习，以掌握设备的工作原理、使用与维护要求、模具与设备的装配关系，真正掌握模具设备专业知识。

本书可作为职业技术学院模具专业的主干专业课程教材，也可作为职工大学、职业大学、技师学院、高级技工学校等相关专业教材，并可供从事模具制造专业的工程技术人员参考。

本书由河南工业大学王浩钢老师任主编，李海平老师任副主编，平顶山工业职业技术学院吕恒志老师、鹤壁职业技术学院孟亚峰老师、开封大学朱要峰老师等参加编写。全书由王浩钢、吕恒志两位老师负责统稿工作。

本书由鹤壁职业技术学院程贵生教授主审，郑州铁路职业技术学院吴新佳老师参加了审稿会，并认真审阅了书稿，对教材的体系和内容提出了许多宝贵意见，在此向他们表示衷心的感谢。本书在编写过程中，得到了安阳工学院赵成刚老师、郑州参数技术有限公司魏斌老师的大力支持与帮助，在此一并致谢！

高等职业院校模具专业教学改革是一项长期而又艰苦的工作，目前仍处于探索阶段，如果本书的出版能对高等职业院校专业教学改革工作起一点作用，那将是我们最大的欣慰。由于编写时间仓促，书中错误和不妥之处在所难免，恳请广大读者批评指正。

编　者

2008 年 3 月

# 目　　录

第1章　绪论 ………………………………………………………………………… 1

1.1　冲压和塑料成型机械发展概况 …………………………………………… 1

1.2　冲压机械和塑料成型机械分类 …………………………………………… 2

1.3　本课程的学习要求 ………………………………………………………… 3

思考题 …………………………………………………………………………… 3

第2章　塑料注射成型机 …………………………………………………………… 4

2.1　概述 ………………………………………………………………………… 4

2.1.1　注射机的工作原理 ……………………………………………………… 4

2.1.2　注射机的结构组成 ……………………………………………………… 4

2.1.3　注射机的工作过程 ……………………………………………………… 5

2.1.4　注射机的分类 …………………………………………………………… 6

2.1.5　注射机的技术参数及型号 ……………………………………………… 9

2.2　注射装置 …………………………………………………………………… 15

2.2.1　注射装置的类型 ………………………………………………………… 15

2.2.2　注射装置的主要零部件 ………………………………………………… 19

2.3　合模装置 …………………………………………………………………… 27

2.3.1　合模装置的形式 ………………………………………………………… 27

2.3.2　调模装置 ………………………………………………………………… 32

2.3.3　顶出装置 ………………………………………………………………… 34

2.4　注射机的使用及维护 ……………………………………………………… 35

2.4.1　注射机的使用 …………………………………………………………… 35

2.4.2　注射机的安全措施 ……………………………………………………… 37

2.4.3　注射机的维护 …………………………………………………………… 38

思考题 …………………………………………………………………………… 39

第3章　通用压力机 ………………………………………………………………… 40

3.1　概述 ………………………………………………………………………… 40

3.1.1　通用压力机的工作原理及结构组成 …………………………………… 40

3.1.2　通用压力机的分类及型号 ……………………………………………… 41

3.1.3　通用压力机的技术参数 ………………………………………………… 44

3.2　曲柄滑块机构 ……………………………………………………………… 47

3.2.1　曲柄滑块机构的运动分析和许用负荷曲线 …………………………… 47

3.2.2　曲柄滑块机构的结构 ····················· 50
3.2.3　连杆及装模高度调节机构 ················· 53
3.2.4　滑块与导轨 ···························· 57
3.3　离合器和制动器 ···························· 60
3.3.1　刚性离合器 ···························· 60
3.3.2　摩擦离合器—制动器 ····················· 65
3.3.3　带式制动器 ···························· 66
3.4　附属装置 ································· 68
3.4.1　过载保护装置 ·························· 68
3.4.2　拉深垫 ······························ 70
3.4.3　推料装置 ···························· 72
3.4.4　滑块平衡装置 ·························· 74
3.4.5　移动工作台 ··························· 74
3.5　压力机的选择与使用 ························· 76
3.5.1　压力机的选择 ·························· 76
3.5.2　压力机的正确使用与维护 ·················· 78
3.5.3　模具的安装与调整 ······················ 80
思考题 ···································· 80

第4章　液压机 ······························ 81

4.1　概述 ·································· 81
4.1.1　液压机的工作原理 ······················ 81
4.1.2　液压机的特点 ·························· 81
4.1.3　液压机的分类 ·························· 82
4.1.4　液压机的技术参数及型号 ·················· 85
4.2　液压机的结构 ···························· 88
4.2.1　本体部分 ···························· 88
4.2.2　动力部分——高压泵 ····················· 90
4.2.3　操纵及液压系统 ························ 90
4.3　冲压液压机 ····························· 93
4.3.1　双动拉深液压机 ························ 93
4.3.2　单动薄板冲压液压机 ····················· 96
4.3.3　汽车纵梁冲压液压机 ····················· 96
4.4　塑料液压机 ····························· 97
4.4.1　塑料液压机的分类 ······················ 98
4.4.2　塑料制品液压机的主要技术参数 ·············· 99
4.4.3　塑料液压机的液压传动系统 ················· 100
思考题 ···································· 101

**第 5 章　其他成型设备**································································································102

　5.1　塑料挤出机··································································································102

　　5.1.1　塑料挤出机的工作原理及特点·················································································102

　　5.1.2　塑料挤出机的分类及主要技术参数·············································································103

　　5.1.3　塑料挤出机的典型结构·······················································································105

　5.2　高速自动压力机······························································································108

　　5.2.1　高速自动压力机的工作原理及特点·············································································108

　　5.2.2　高速自动压力机的分类及主要技术参数·········································································109

　　5.2.3　高速自动压力机的典型结构···················································································110

　5.3　板料多工位压力机····························································································111

　　5.3.1　板料多工位压力机的工作原理及特点···········································································111

　　5.3.2　板料多工位压力机的分类及主要技术参数·······································································113

　　5.3.3　板料多工位压力机的典型结构·················································································114

　5.4　双动拉深压力机······························································································117

　　5.4.1　双动拉深压力机的工作原理及特点·············································································117

　　5.4.2　双动拉深压力机的分类及主要技术参数·········································································118

　　5.4.3　双动拉深压力机的典型结构···················································································119

　5.5　数控冲模回转头压力机························································································124

　　5.5.1　数控冲模回转头压力机的工作原理及特点·······································································124

　　5.5.2　数控冲模回转头压力机的分类及主要技术参数···································································125

　　5.5.3　数控冲模回转头压力机的典型结构·············································································126

　5.6　冷挤压压力机································································································128

　　5.6.1　机械式冷挤压压力机的工作原理及特点·········································································128

　　5.6.2　机械式冷挤压压力机的分类及主要技术参数·····································································130

　　5.6.3　机械式冷挤压压力机的典型结构···············································································130

　5.7　压铸机······································································································133

　　5.7.1　几种压铸机的工作原理及特点·················································································133

　　5.7.2　压铸机的分类及主要技术参数·················································································135

　　5.7.3　压铸机的典型结构···························································································137

　思考题········································································································140

**参考文献**····································································································141

# 第1章 绪 论

## 1.1 冲压和塑料成型机械发展概况

　　冲压和塑料成型机械分别是指材料冲压成型加工和塑料成型加工所用的设备。冲压成型加工以金属材料为主，在常温下利用金属的塑性特性，在冲压机械上通过冲压模具成型金属零件。塑料成型加工利用以树脂为主要成分的高分子聚合物（即塑料），在一定温度和压力下具有可塑性的特性，在塑料成型机械上通过塑料模具成型塑料制件。采用冲压工艺生产的产品具有效率高、品质好、耗能低和成本低的优点，这种无切削加工工艺越来越多地替代切削、焊接和其他工艺。冲压机械在机床中占的比例也越来越大。各种塑料特别是工程塑料的发展，使塑料在工业产品与生活产品中获得了广泛的应用，以塑料替代金属的情况很广泛，适用于不同塑料成型工艺方法的各种塑料成型机械得到了迅速发展。

　　我国的冲压和塑料成型机械的生产，在生产品种、数量、质量和技术水平上发展迅速，基本上能满足国内生产需要，通过引进、消化、吸收国外先进技术，形成了一套从研究开发到生产的完整体系，从而接近国际先进技术水平。1991 年，以济南铸锻机械研究所为首的 8 家单位在天水建成了我国第一条板材加工柔性制造体系（FMS），该系统由冲孔单元、剪切单元、仓库单元、中心计算机控制室和后援设备组成，标志着我国板材冲压加工技术进入了国际先进行列。数控冲压机械也有新的突破，济南铸锻机械研究所研制开发的 J92K—25 数控冲模回转头压力机，是我国第一台自行研制的数控压力机。上海第二锻压机床厂又相继开发了 J92K—30 型数控冲模回转头压力机，哈尔滨锻压机床厂和国外联合研制了 400kN 数控冲压加工中心，另外，数控激光切割机、数控剪板机、数控板料折弯机和数控辗环机相继开发成功。济南第二机床厂研制的 J47—1250/2000 型闭式四点双动压力机是目前我国规格最大、技术水平最高的双动拉深压力机，是国产轿车生产急需的关键冲压机械。过去我国的高速自动压力机依靠进口，济南铸锻机械研究所首次开发了 DS—048 型 600kN 高速自动压力机，滑块行程次数为 120～400 次/分，可无级调速。

　　近年来，塑料成型技术与成型机械的配合更为紧密。塑料及成型技术的不断提高以及高性能化，要求成型加工机械及周边机械与其配套，而加工机械的进步又促进成型加工技术的进步，近 20 年来塑料成型机械朝着微型化、超大型化和自动化发展。德国有注射量为 0.1g 的微型塑料注射机，可生产 0.05g 的塑料制件，我国开发了注射量为 0.1g 的微型塑料注射机，可生产 0.1g 的塑料制件，法国有注射量为 17 000g 的超大型塑料注射机，我国宁波海天集团股份有限公司开发生产了国内最大的 HTF3600X/1g 塑料注射机，注射量为 51 460g。近几十年来，以微电子技术为中心的控制技术和检测技术的发展，给冲压和塑料成型机械的发展提供了良好的基础。另外，随着国际和国内大市场的形成和发展，出现了空前的产业结构和产品结构的大调整和大发展。综合十余年来国内外冲压和塑料成型机械的发展，可看出下述发展趋势。

（1）数控成型机械将迅速发展。

自数控技术进入冲压和塑料成型机械以来，数控成型机械所占比重不断扩大，数控技术水平也会不断提高，使成型机械能进行复杂的程序控制、自动调整和自动检测，从而改变成型机械的结构和性能，扩大成型机械的加工范围，提高加工质量和加工效率，使成型机械的整体技术水平得到提高。

（2）高速精密成型机械的水平将不断提高。

以高速自动压力机为代表的冲压成型设备的高速化水平将不断提高，其应用范围也会逐渐扩大，有从中小型设备扩大到大中型设备、有冲裁用加工扩展到其他成型加工的趋势。高速压力机的精度也将提高，同时要求成型机械有更好的刚性，运动机构有更好的平衡性能，导向机构有更好的导向精度。

（3）传统成型技术和新的成型技术进一步结合。

随着激光加工技术和等离子加工技术的发展和提高，其将与传统的冲压成型技术进一步结合，充分发挥各自的特点和优势，使生产效率和生产经济不断提高，并通过计算机技术控制使自动化程度得到提高。

（4）成型柔性制造系统大有前途。

将自动化技术、数控技术和机器人技术与板料冲裁、弯曲加工相结合，出现了板材加工柔性系统（FMS）。在计算机的控制和管理下，该系统能根据生产需要，以最短的生产周期和最小的物耗，生产出最优质的产品，现已在开关、电器、仪表和计算机产品的板材零件生产中得到了很好的应用。目前，世界各国都在大力研究和开发成型柔性制造系统，它将极大地改善冲压工作条件和工作方式。

## 1.2　冲压机械和塑料成型机械分类

冲压机械的类型很多，以适应不同的冲压工艺要求。在我国锻压机械的八大类中，它就占了一半以上。为表述得简明和系统，现将我国锻压机械的分类和冲压机械的名称代号列于表 1-1 中，其中应用最广泛的是电动机械压力机中的曲柄压力机、摩擦压力机等，其次是液压机。

**表 1-1** 锻压机械分类代号

| 序　　号 | 类 别 名 称 | 汉语简称及拼音 | 拼 音 代 号 |
|---|---|---|---|
| 1 | 机械压力机 | 机 Jj | J |
| 2 | 液压机 | 液 Ye | Y |
| 3 | 自动锻压机 | 自 Zi | Z |
| 4 | 锤 | 锤 Chui | C |
| 5 | 锻机 | 锻 Duan | D |

续表

| 序　号 | 类别名称 | 汉语简称及拼音 | 拼音代号 |
|---|---|---|---|
| 6 | 剪切机 | 切 Qie | Q |
| 7 | 弯曲 | 弯 Wan | W |
| 8 | 其他 | 他 Ta | T |

塑料成型机械的类型也很多，可以说有多少种成型方法，相应地就有多少种成型机械，如有各种模塑成型机械和压延机等。塑料成型机械包括挤出机、注射机、浇铸机、真空成型机、液压机等。在生产中最常用的是挤出机和注射机，其次是液压机和压延机。挤出成型生产的制品量常占首位（占整个塑料制品总产量的一半以上），注射成型生产的制品量占 25%～30%。就成品机械而言，注射机的产量最大。据统计，近 10 年来全世界注射机的产量增加了 10 倍，每年生产的台数约占整个塑料机械产量的 50%，是塑料机械生产中增长最快、生产量最多的机种。

## 1.3　本课程的学习要求

冲压和塑料成型机械课程是模具设计与制造专业的主要必修课之一，它是在学完机械原理、机械零件和液压传动等课程的基础上，与冲压工艺与模具设计、塑料成型工艺与模具设计等专业课程相配套、衔接讲授的专业课。本课程所介绍的冲压和塑料成型机械为冲压工艺冲压模具及塑料成型工艺塑料模具所涉及的成型设备，另外也介绍了部分与专业培养目标相接近的成型设备。

本课程是为成型工艺和模具设计配套的，要求学生了解设备的工作原理过程，掌握设备的主要结构、技术参数、设备的特点和用途，能够根据成型工艺模具结构等因素正确选用设备，调整和使用设备，正确地设计模具，保证成型制件的质量和生产效率，提高学生对模具的综合设计水平和使用能力。本课程以通用压力机、万能液压机和热塑性塑料注射成型机为主，同时考虑现代工业的发展及新技术、新工艺的推广应用，还介绍一些专用、先进和精密成型设备的基本结构、特点、性能和技术参数，如高速自动压力机等。

本课程的基本要求简述如下。

（1）熟悉、了解常用冲压和塑料成型机械的工作原理，掌握设备的工作过程、规格、技术参数和主要结构的构成；掌握主要机械与模具的关系，能根据工艺要求合理选择机械设备。

（2）根据工艺要求和机械说明书，能正确使用、调整和维护主要机械设备，具有分析和排除一般故障的能力。

（3）理解部分专用、先进和精密机械的工作原理、结构特点和性能，能正确选用机械设备。

## 思　考　题

1. 简述冲压机械和塑料成型机械的种类。
2. 简述冲压与塑压设备的发展概况。

# 第 2 章　塑料注射成型机

## 2.1　概　述

### 2.1.1　注射机的工作原理

　　塑料注射成型机（简称注射机）是塑料成型加工的主要设备之一，它的成型原理是将已经完成塑化的熔融状态的塑料（即粘流态塑料），在压力作用下注射入模腔内，经冷却定型后而获得塑料制品。

　　注射机主要用于热塑性塑料成型，近年来也已成功地用于某些热固性塑料成型。由于它能一次成型出形状复杂、尺寸精确、表面质量很高的制品，生产率高，对不同性质塑料的加工具有较强的适应性，还能生产带镶嵌件以及添加填料的改性塑料制品，并便于实现自动化等一系列优点，所以注射成型工艺和注射机得到了广泛应用。注射机是目前塑料成型设备中，数量增长最快、产量最多、应用最广的塑料成型设备，而且正朝着大型、精密、微型、高速、自动化、节能等方向发展。

### 2.1.2　注射机的结构组成

　　注射成型时，每一个工作循环中注射机需完成塑化、注射和成型 3 个基本过程。因此，一台普通型的注射机主要由注射装置、合模装置、液压传动和电气控制系统等组成，如图 2-1 所示。

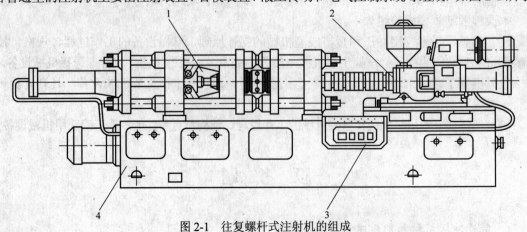

图 2-1　往复螺杆式注射机的组成

1—合模装置；2—注射装置；3—电气控制系统；4—液压系统

（1）注射装置：将各种形态的塑料均匀地熔融塑化，并以足够的压力和速度将一定量的熔料注射到模具的模腔内，当熔料充满模腔后，仍需保持一定的压力和作用时间，使其在合适压力作用下冷却定型。

（2）合模装置：实现模具的开合并锁紧，以保证注射时模具能可靠地合紧，以及完成模具的开启和脱出制品的动作。

（3）液压传动和电气控制系统：保证注射机按工艺过程的动作程序和预定的工艺参数（压力、速度、温度、时间等）的要求准确有效地工作，二者有机地配合，对注射机提供动力和实现控制。

### 2.1.3　注射机的工作过程

尽管注射机的类型很多，但其完成注射成型的基本过程是相同的。下面以目前应用最广的螺杆式注射机为例，阐述其工作过程，如图 2-2 所示。

**1. 合模与锁紧**

注射成型机的成型周期一般自模具开始闭合时算起。模具首先以低压进行快速闭合，当动模与定模很接近时，合模的动力系统自动切换成低压（即试合模压力）、低速，在确认模内无异物存在时，再切换成高压低速而将模具锁紧。

**2. 注射装置前移**

注射座移动液压缸工作使注射装置前移，保证喷嘴与模具主流道入口以一定的压力贴合，为注射阶段做好准备。

**3. 注射与保压**

完成上述两个工作过程后，便可向注射液压缸接入压力油。于是与液压缸活塞杆相接的螺杆，便以高压高速将头部的熔料注入模腔。熔料充满模腔后，要求螺杆对熔料还需保持一定的压力，以防止模腔内的熔料回流，并向模腔内补充因制品冷却收缩所需的物料。保压时，螺杆因补缩会有少量的前移。

**4. 制件冷却与预塑化**

当保压进行到模具内熔料失去从浇口回流的可能性时（即浇口封闭），注射液压缸内的保压压力即可卸去（此时合模液压缸内的高压也可卸去），使制件在模腔内冷却定型。为缩短成型周期，制件冷却的同时螺杆传动装置工作，带动螺杆转动，使料斗内的塑料经螺杆向前输送，在料筒加热系统的外加热和螺杆的剪切、混炼作用下，使塑料逐渐依次熔化，由螺杆输送到料筒的端部，并产生一定的压力。这个压力是根据所加工的塑料、调节注射机液压系统的背压阀和克服螺杆后退的运动阻力建立的，统称为预塑背压，其目的是保证塑料的塑化质量。由于螺杆不停地转动，故熔料也不断地向料筒端部输送，螺杆端部产生的压力迫使螺杆连续向后移动，当后移一段距离后，料筒端部的熔料足以满足下次注射量时螺杆停止转动和后移，这就是常说的计量。由于制件冷却和预塑同时进行，故一般情况下，要求螺杆预塑时间要少于制件冷却时间，以免影响成型周期。

**5. 注射装置后退**

注射装置是否后退可根据所加工塑料的工艺而定，有的在预塑后退回，有的在预塑前退回，有的注射装置根本不退回。如热流道模具，注射装置一般不退回。注射装置退回的目的主要是避免喷嘴与冷模长时间接触产生喷嘴内料温过低，影响下次注射和制件质量，另一

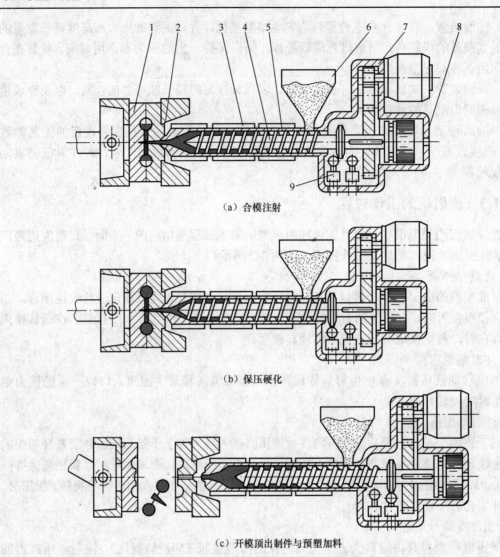

（a）合模注射

（b）保压硬化

（c）开模顶出制件与预塑加料

图 2-2　螺杆式注射机的基本程序

1—模具；2—喷嘴；3—加热圈；4—料斗；5—螺杆传动装置；6—注射液压缸；
7—行程开关；8—螺杆；9—料筒

方面，有时为了便于清料，常使注射装置退回。

6. 开模与顶出制件

模具内的制件冷却定型后，合模机构就开启模具。在注射机的顶出系统和模具的推出机构的联合作用下，将制件自动推出，为下次成型做好准备。

图 2-3 所示为注射机的工作循环原理图。

## 2.1.4　注射机的分类

随着注射成型工艺的应用范围不断扩大，注射机的类型也不断增多，尤其是近 20 年来注射机发展很快，虽然目前对注射机的分类尚无统一的方法和标准，但在实际工作中，根据需要有多种多样的分类方法。

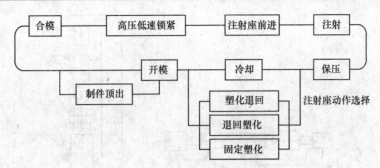

图 2-3　注射机的工作循环原理图

按注射机的加工能力分为超小型（注射量和锁模力分别小于 30cm³ 和 400kN）、小型（注射量 60～500cm³，锁模力 400～3 000kN）、中型（注射量 500～2 000cm³，锁模力 3 000～6 000kN）、大型和超大型（注射量和锁模力分别大于 2 000cm³ 和 8 000kN）注射机。

按机器的传动方式分为液压式、机械式和液压—机械（连杆）式注射机。

按塑化和注射方式分为柱塞式、螺杆式和螺杆塑化柱塞注射式注射机。

按操作方式分为自动、半自动和手动注射机。

按注射机的用途分为加工一般塑料和一般制品的通用注射机和专用注射机（如玻璃纤维增强塑料注射机、发泡塑料注射机、热固性塑料注射机等）。

目前比较普遍按机器外形特征分类，主要是根据注射和合模装置的排列方式分为如下几种形式。

1．卧式注射机

如图 2-4（a）所示，卧式注射机的注射装置与合模装置的轴线呈一线水平排列。其优点是：机身低，便于操作和维修，机器重心低，安装稳定性好；制品顶出后可利用其自重作用而自动下落，容易实现自动操作。缺点是：模具的安装和嵌镶件的安放比较麻烦；占地面积较大。这种类型对于大、中、小型注射机都适用，是最常见的，也是目前国内外大、中型注射机广泛采用的形式。

2．立式注射机

如图 2-4（b）所示，立式注射机的注射装置与合模装置的轴线呈一线垂直排列。其优点是：占地面积小；模具的装拆和嵌镶件的安放都较方便；料斗中的物料能比较均匀地加入到料筒进行塑化。缺点是：制品自模具顶出后常需用手或其他方法将其取出，不易实现自动化操作；由于机身高，机器重心和料斗都高，以致机器的稳定性较差，维修和加料也不方便。这种类型的注射机多为注射量在 60cm³ 以下的小型注射机。

3．角式注射机

角式注射机是介于卧式和立式之间的一种形式，它的注射装置与合模装置的轴线互相垂直排列，注射装置的轴线与模具的分界面同处于同一平面上，其布置有两种形式，如图 2-4（c）、（d）所示。这种类型注射机的优缺点介于卧式和立式注射机之间。由于注射成型时熔料是从模具的侧面进入模腔，因此它特别适用于加工中心部分不允许留有浇口痕迹的制品。

4．多模转盘式注射机

如图 2-5 所示，多模转盘式注射机是一种多工位操作的特殊注射机，它的注射装置和合模装置与一般卧式注射机相似，而合模装置采用转盘式结构，多副模具围绕转盘转动。工作

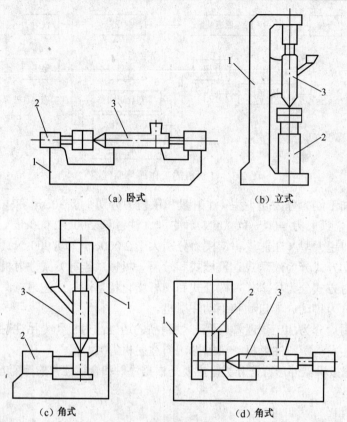

（a）卧式　　　　　　（b）立式

（c）角式　　　　　　（d）角式

图 2-4　注射机的类型

1—机身；2—合模装置；3—注射装置

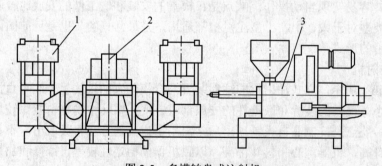

图 2-5　多模转盘式注射机

1—合模装置；2—转盘机构；3—注射装置

时，一副模具与注射装置的喷嘴接触，注射保压后随着转台的转动而离开，在另外工位上进行冷却和定型，（与此同时，另一副模具转入注射工位），然后再转过一定角度实现开模取出制品，其他工位可进行安放嵌镶件、喷脱模液、合模等工序，如此依次周而复始地进行操作。这种注射机的主要优点是充分发挥了注射装置的塑化能力，大大缩短生产周期，提高机器的生产效率，因此特别适合于冷却时间长或因安放嵌镶件需要较多辅助时间的大批量的制品生产，如旅游鞋生产、注射中空吹塑制品成形等。其缺点是合模系统比较复杂且庞大，锁模力有限，也不容易进一步提高。

### 2.1.5　注射机的技术参数及型号

注射机的主要技术参数有注射量、注射压力、注射速度、塑化能力、锁模力、移模速度、合模装置的基本尺寸、空循环时间等，这些参数是设计和选用注射机的依据。其中注射量和锁模力是反映注射机的加工范围和加工能力的大小，通常用来表示注射机的规格型号。

1. 注射机的技术参数

（1）注射量。

注射量又称公称注射量，它是指注射机在对空注射的条件下，注射螺杆或柱塞作一次最大注射行程时所能达到的注射量。注射量的单位一般有两种表示方法：一种是以熔料的容积"cm$^3$"为单位表示，与原料的密度无关，比较方便，所以我国生产的注射机多用这种方法表示；另一种是以聚苯乙烯熔料的质量"g"为单位表示，以便于比较。注射量是表明注射机生产塑料制品能力的重要标志，故常用来表示注射机的规格。

根据注射机注射量的定义，公称注射量应为

$$V_c = \frac{\pi}{4} D_s^2 s$$

式中：$V_c$——公称注射量，cm$^3$；$D_s$——螺杆或柱塞的直径，cm；$s$——螺杆或柱塞的最大行程，cm。

该式说明，理论上直径为 $D_s$ 的螺杆移动 $s$ 距离，应当射出 $V_c$ 的注射量，但是在注射时少部分熔料在压力作用下回流，以及为保证塑化质量和在注射完毕后保压时补缩的需要，故实际注射量要小于理论注射量，为描述二者的差别，引入射出系数 $\alpha$：

$$V = \alpha V_c = \alpha \frac{\pi}{4} D_s^2 s$$

式中：$V$——实际注射量，cm$^3$；$\alpha$——射出系数。

影响射出系数的因素很多，如螺杆的结构和参数、注射压力和注射速度、背压的大小、模具的结构和制件的形状、塑料的特性等。所以在实际使用中，射出系数并非是一个恒定的数值，而是通常在 0.7～0.9 之间变化。选择设备时，实际注射量应为注射机理论注射量的 25%～70%为宜。

（2）注射压力。

注射压力是指螺杆（或柱塞）施加于料筒中熔料单位面积上的力，它用来克服熔料从料筒流经喷嘴、浇道和模腔时的流动阻力，使熔料充满模腔，以及使制品具有一定的致密度。

注射压力的选取很重要。注射压力过高，制品可能产生毛边和脱模困难，影响制品表面粗糙度，制品应力较大，甚至造成废品。注射压力过低，则熔料不易充满模腔。影响注射压力选取的因素很多，如塑料的性能、制品的形状和精度要求、喷嘴和模具的结构、模具的温度等。由于影响注射压力的因素多而复杂，目前还没有准确的计算方法，而是依靠积累的实践经验，根据实际情况分析决定。根据塑料的性能，目前对注射压力的使用情况可大致分为以下几类。

① 注射压力小于 70MPa，用于加工流动性好的塑料，且制件形状简单，壁厚较大。

② 注射压力为 70～100MPa，用于加工塑料粘度较低，形状、精度要求一般的制件。

③ 注射压力为 100～140MPa，用于加工中、高粘度的塑料，且制件的形状、精度要求

一般。

④ 注射压力为 140～180MPa，用于加工较高粘度的塑料，且制件壁薄或不均匀、流程长、精度要求较高。对于一些精密塑料制件的注射成型，注射压力可用到 230～250MPa。

选择设备时，要考虑所需的注射压力是否在注射机的理论注射压力范围内。为满足加工不同塑料和各种结构制品的要求，一般注射机都配备有不同直径的螺杆（或柱塞）和料筒，这样不仅可以通过调节供油压力，还可以通过更换螺杆（或柱塞）和料筒的办法来改变注射压力。

（3）注射速度、注射速率与注射时间。

注射速度是指螺杆或柱塞的移动速度；注射速率是指将公称注射量的熔料在注射时间内注射出去，单位时间内所能达到的体积流率；而注射时间则是指螺杆（或柱塞）射出一次注射所需要的时间。它们三者之间的关系为：

$$v = \frac{s}{\tau}$$
$$q = \frac{Q}{\tau}$$

式中：$v$——注射速度，mm/s；$s$——注射行程，即螺杆（或柱塞）的移动距离，mm；$\tau$——注射时间，s；$q$——注射速率，mm$^3$/s；$Q$——注射量，cm$^3$。

上述参数的选择恰当与否直接影响到制品的质量和机器的生产率。例如，注射速度过慢，熔料不易充满模腔或制品形成接缝，特别是对加工软化温度较窄的结晶型塑料和薄壁制品时影响更大；注射速度过快，则塑料熔体流经喷嘴等处时，由于产生大量摩擦热易使塑料产生过热分解和变色，以及排气不良或在排气口处由于气体急剧被压缩产生过热而烧灼制品等缺陷。因此，在选定注射速度时，要考虑到熔料的粘度、制品的结构、模具的温度、浇口尺寸等。

近年来注射速度有不断提高的趋势，因为提高注射速度不仅缩短了成型周期、减少制品的尺寸公差，而且能在较低的模温下获得优质的制品。尤其是在注射成型各种薄壁长流程制品的低发泡塑料制品时，高的注射速度是获得优质制品的先决条件。而且要求在注射过程中可进行程序控制，实现所谓"分级注射"以对熔料充模时的流动状态实现控制。根据国外文献介绍的不同规格注射机的注射时间如表 2-1 所示。

表 2-1　　　　　注射量与注射时间的关系

| 注射量/cm$^3$ | 125 | 250 | 500 | 1000 | 2000 | 4000 | 6000 | 10000 |
|---|---|---|---|---|---|---|---|---|
| 注射速率/（cm$^3$·s$^{-1}$） | 125 | 200 | 333 | 570 | 890 | 1330 | 1600 | 2000 |
| 注射时间/s | 1 | 1.25 | 1.5 | 1.75 | 2.25 | 3 | 3.75 | 5 |

（4）锁模力。

锁模力是指注射机的合模装置对模具所能施加的最大夹紧力。注射时熔料进入模腔后仍有较大的压力，它促使模具从分型面处胀开。为了平衡熔料的压力、夹紧模具、保证制件的精度，注射机合模机构必须有足够的锁模力。锁模力同注射量一样，也是反映注射机所能塑制制件大小的重要参数，所以有的国家采用最大锁模力作为注射机的规格标称。

锁模力大小的选择主要决定于模腔压力和制品的最大成型面积。模腔压力由注射压力传递而来，它在模腔内不是均匀分布的，模腔压力约为注射压力的 25%～50%。对于塑料流动性差、形状复杂、精度要求较高的制件，需要较高的模腔压力。但是过高的模腔压力将对锁模力和模具强度提出较高的要求，而且使制件脱模困难、残余应力增大，故一般不用较高的模腔压力。对于熔料粘度一般的制件，模腔压力为 20～30MPa；对于熔料粘度较高、制件精度要求高的情况，模腔压力为 30～40MPa。最大成型面积是指制品在模具分模面上的最大投影面积，它的确定是从实际需要出发的，对于一般制件，由于塑料的性能以及对制件的强度或刚度要求，其最大成型面积 A 可用如下经验公式计算：

$$A = KV^{2/3} \times 10^{-4}$$

式中：$A$——最大成型面积，$m^2$；$V$——注射量，$cm^3$；$K$——经验系数，约为 12～15，注射量大取大值。

模腔压力和最大成型面积确定后，锁模力则可由下式计算：

$$F = cp_m A$$

式中：$F$——锁模力，N；$p_m$——模腔平均压力，Pa；$A$——最大成型面积，$m^2$；$c$——安全系数，一般为 1.1～1.2。

（5）塑化能力。

塑化能力是指单位时间内所能塑化的物料量，常用单位"kg/h"表示。显然，注射机的塑化装置应该在规定的时间内，保证能够提供足够量的、塑化均匀的熔料。塑化能力应与注射机的整个成型周期配合协调，若塑化能力高而机器的空循环时间太长，则不能发挥塑化装置的能力，反之，则会加长成型周期。为保证塑料既能达到完全塑化状态，又能充满模腔，选定的注射能力和注射量均比实际需要量大 20%左右。

（6）合模部分的基本尺寸。

合模装置的基本尺寸主要包括模板尺寸、拉杆间距、模板最大开距、动模板行程、模具最大厚度和最小厚度等，这些参数规定了所用模具的尺寸范围、定位要求、相对运动程度及其安装条件。

① 模板尺寸及拉杆间距。图 2-6 所示为模具与模板及拉杆间距的尺寸关系。模板尺寸为 $L \times H$，拉杆间距为 $L_0 \times H_0$，这两个尺寸参数表示了模具安装面积的大小，模具模板尺寸必须在模板尺寸及拉杆间距尺寸的规定范围之内，模板面积大约为注射机最大成型面积的 4～10 倍。

② 模板最大开距。模板最大开距是动模开启时，动模板与定模板之间的最大距离（包括调模行程），如图 2-7 所示。其计算式为

$$L_k = s + H_{max}$$

式中：$L_k$——模板最大开距，mm；$s$——动模板行程，mm；$H_{max}$——模具最大厚度，mm。

为了使成型制件便于取出，一般模具最大开距为成型制件最大高度的 3～4 倍。

③ 动模板行程。动模板行程是指动模能够移动的最大值。对曲肘式合模机构，其动模板行程是一定的；而直压式合模机构的动模板行程是可变的，它与所安装的模具厚度有关，当所安装的模具厚度为最小值时，动模板行程为最大值，反之为最小值。为便于取出制件，一般动模板行程要大于制件高度的 2 倍。

④ 模具最大厚度（$H_{max}$）和最小厚度（$H_{min}$）。模具最大厚度和最小厚度是指动模板闭合后达到规定锁模力时，动模板与定模板之间所达到的最大和最小距离，这两值之差就是调

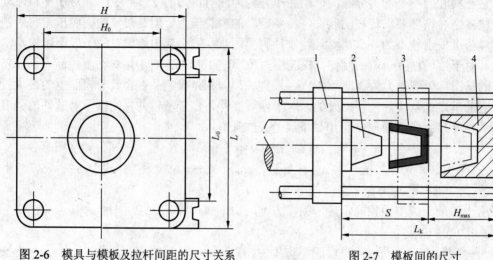

图 2-6　模具与模板及拉杆间距的尺寸关系　　　　图 2-7　模板间的尺寸

1—定模板；2—动模；3—制件；4—定模；5—定模板

模机构的调模行程。这两个基本尺寸对模具安装尺寸的设计十分重要。若模具实际厚度小于注射机的模具最小厚度，则必须设置垫板，使模具厚度尺寸大于 $H_{min}$，否则就不能实现正常合模。若实际模具厚度大于模具最大厚度，则无法使用。一般模具厚度设定在 $H_{min}$ 和 $H_{max}$ 之间。

（7）开合模速度。

为使模具闭合时平稳以及开模、顶出制件时不使塑料制件损坏，要求模板慢行，但为提高生产率，则要求模板快行。因此，在每一个成型周期中，模板的运行速度是变化的，一般注射机动模板运行速度是按慢——快——慢变化的。从注射机发展过程来看，开合模速度有提高的趋势。过去一般为 10～20m/min，而现在大部分注射机的快速移模速度为 30～35m/min，有的甚至达到 90m/min，慢速移模速度一般在 0.24～3m/min 的范围内。

以上是注射机的主要技术参数，另外，还有其他的技术参数列于表 2-2 和表 2-3。

2．注射机的型号规格表示法

注射机的型号规格有 3 种表示方法，即注射量、注射量/锁模力、锁模力。注射量表示法是用注射机的理论注射容量参数来表示注射机的规格，即注射机以标准螺杆（常用普通型螺杆）注射时 80%的理论注射量表示。这种表示法比较直观，规定了注射机成型制件的体积范围。但注射容量与加工塑料性能和状态有着密切的关系，所以注射量表示法不能直接判断两台机器规格的大小。锁模力（kN）与注射量（$cm^3$）表示法是国际上通行的规格表示法，这种表示法是用注射机锁模力作为分母，注射量作为分子表示注射机的规格（注射量/锁模力）。对于注射量，为了对不同的注射机都有一个共同的比较基准，特规定为注射压力在 100MPa 时的理论注射量。这种表示法比较全面地反映了注射机的主要性能。锁模力表示法是用注射机最大锁模力来表示注射机的规格，所以此表示法直观、简单。因为注射机锁模力不会受到其他取值的影响而改变，可直接反映出注射机成型制件面积的大小。

我国塑料注射成型机的型号编制方法（JB2485—1978）是由基本型号和辅助型号两部分组成。基本型号和辅助型号之间用"—"线隔开，如图 2-8 所示。

**表2-2　部分国产热塑性塑料注射成型机的主要技术参数**

| 型号 | SYS-10（立式） | SYS-30（立式） | XS-ZY-45（直角式） | C4730-1（直角式） | XS-Z-30 | XS-Z-60 | XS-ZY-125 | XS-ZY-125A | XS-ZY-250 | XS-ZY-350（G54-S200/400） | XS-ZY-500 | XS-ZY-1000 | XS-ZY-1000A |
|---|---|---|---|---|---|---|---|---|---|---|---|---|---|
| 公称注射量/(cm³/g) | 10 | 30 | 45 | 30 | 30 | 60 | 125 | 220 | 250 | 200～400 | 500 | 1 000 | 2 000 |
| 螺杆（柱塞）直径/mm | φ22 | φ28 | φ28 | φ25 | φ28 | φ38 | φ42 | φ42 | φ50 | φ55 | φ65 | φ85 | φ100 |
| 注射压力/MPa | 150 | 157 | 125 | 170 | 119 | 122 | 119 | 150 | 130 | 109 | 104 | 121 | 121 |
| 注射时间/s | | | | | 0.7 | | 1.6 | 1.8 | 2 | | 2.7 | 3 | |
| 注射方式 | 柱塞式 | 柱塞式 | 柱塞式 | 柱塞式 | 柱塞式 | 柱塞式 | 螺杆式 | 螺杆式 | 螺杆式 | 螺杆式 | 螺杆式 | 螺杆式 | 螺杆式 |
| 锁模力/kN | 150 | 500 | 400 | 380 | 250 | 500 | 900 | 900 | 1 800 | 2 540 | 3 500 | 4 500 | 5 500 |
| 最大成型面积/cm² | 45 | 130 | 95 | | 90 | 130 | 320 | 360 | 500 | 645 | 1 000 | 1 800 | 2 000 |
| 模板最大行程/mm | 120 | 80 | | 225 | 160 | 180 | 300 | 325 | 500 | 260 | 700 | 700 | 700 |
| 模具最大厚度/mm | 180 | 200 | 200 | 325 | 180 | 200 | 300 | 300 | 350 | 406 | 450 | 700 | 700 |
| 模具最小厚度/mm | 100 | 70 | 70 | 165 | 60 | 70 | 200 | 200 | 200 | 165 | 300 | 300 | 300 |
| 拉杆间距/mm×mm | 300×250 | 300×190 | | | 235 | 300×190 | 290×260 | 360×360 | 373×295 | 368×290 | 540×540 | 650×550 | 650×550 |
| 模板尺寸/mm×mm | 360×360 | 420×330 | 300×180 | | 280×250 | 440×330 | | | 598×520 | 634×532 | 850×700 | | 1 180×1 180 |
| 锁模方式 | 液压—机械 | 液压—机械 | 机械 | 机械 | 液压—机械 | 液压—机械 | 液压—机械 | 液压—机械 | 增压式 | 液压—机械 | 特殊液压 | 特殊液压 | 特殊液压 |
| 定模板定位孔直径/mm | $\phi55^{+0.06}_{0}$ | $\phi55^{+0.10}_{0}$ | | | $\phi63.5^{+0.04}_{-0}$ | $\phi55^{+0.03}_{0}$ | $\phi100^{+0.054}_{0}$ | $\phi100^{+0.054}_{0}$ | $\phi125^{+0.06}_{0}$ | $\phi125^{+0.06}_{0}$ | $\phi150^{+0.06}_{0}$ | $\phi150^{+0.06}_{0}$ | $\phi150^{+0.06}_{0}$ |
| 喷嘴球半径/mm | 12 | 12 | 12 | 15 | 12 | 12 | 12 | 12 | 18 | 18 | 18 | 18 | 18 |
| 喷嘴孔直径/mm | φ2.5 | φ3 | φ4 | | φ4 | φ4 | φ4 | φ4 | φ4 | φ4 | φ7.5 | φ7.5 | φ7.5 |
| 顶出型式 | 中心机械顶出 | 中心机械顶出 | 中心机械顶出 | 中心 | 两侧机械顶出 | 中心机械顶出 | 两侧机械顶出 | 中心液压两侧机械 | 两侧机械顶出 | 中心机械顶出 | 中心液压两侧机械 | 中心液压两侧机械 | 中心液压两侧机械 |
| 加热功率/kW | 1.5 | 1.6 | | | 1.75 | 2.7 | 5 | 6 | 9.83 | 10 | 14 | 16.5 | 18.25 |
| 电动机功率/kW | | | | | 5.5 | 11 | 11 | 10.10 | 18.5 | 18.5 | 22 | 40,5.5,5.5 | 40,7.5 |

**表 2-3** 　　　　部分国产 **SZ** 系列塑料注射成型机的主要技术参数

| 项　　目 | SZ—10/16 | SZ—25/25 | SZ—40/32 | SZ—60/40 | SZ—100/60 | SZ—60/450 | SZ—100/630 | SZ—125/630 | SZ—160/1000 | SZ—200/1000 |
|---|---|---|---|---|---|---|---|---|---|---|
| 结构型式 | 立 | 立 | 立 | 立 | 立 | 卧 | 卧 | 卧 | 卧 | 卧 |
| 理论注射容量/cm³ | 10 | 25 | 40 | 60 | 100 | 78 106 | 75 105 | 140 | 179 | 210 |
| 螺杆（柱塞）直径/mm | 15 | 20 | 24 | 30 | 35 | 30 35 | 30 35 | 40 | 44 | 42 |
| 螺杆注射压力/MPa | 150 | 150 | 150 | 150 | 150 | 170 125 | 224 164.5 | 126 | 132 | 150 |
| 注射速率/（g/s） | | | | | | 60 75 | 60 80 | 110 | 110 | 110 |
| 塑化能力/（g/s） | | | | | | 5.6 10 | 7.3 11.8 | 16.8 | 10.5 | 14 |
| 螺杆转速/（r/min） | | | | | | 14～200 | 14～200 | 14～200 | 10～150 | 10～250 |
| 锁模力/kN | 160 | 250 | 320 | 400 | 600 | 450 | 630 | 630 | 1 000 | 1 000 |
| 拉杆间距/mm | 180 | 205 | 205 | 295×185 | 440×340 | 280×250 | 370×320 | 370×320 | 360×260 | 315×315 |
| 移模行程/mm | 130 | 160 | 160 | 260 180 | 260 | 220 | 270 | 270 | 280 | 300 |
| 最大模具厚度/mm | 150 | 160 | 160 | 280 | 340 | 300 | 300 | 300 | 360 | 350 |
| 最小模具厚度/mm | 60 | 130 | 130 | 160 | 10 | 100 | 150 | 150 | 170 | 150 |
| 锁模型式 | | | | | | 双曲肘 | 双曲肘 | 双曲肘 | 液压 | 双曲肘 |
| 模具定位孔直径/mm | | | | | | $\phi55$ | $\phi125$ | $\phi125$ | $\phi120$ | $\phi125$ |
| 喷嘴球半径/mm | 10 | 10 | 10 | 15 | 12 | SR20 | SR15 | SR15 | SR10 | SR15 |
| 喷嘴口孔径/mm | | | $\phi3$ | $\phi3.5$ | $\phi4$ | | | | | |
| 生产厂家 | 常熟市塑料机械总厂 | | | | | 上海第一塑料机械厂 | | | | |

| 项　　目 | SZ—250/1250 | SZ—320/1250 | SZ—400/1600 SZ—350/1600 | SZ—630/3500 | SZ—500/2000 | SZ—800/3200 | SZ—250/1500 | SZ—630/2400 | SZ—1250/4000 | SZ—1600/4000 |
|---|---|---|---|---|---|---|---|---|---|---|
| 结构型式 | 卧 | 卧 | 卧 | 卧 | 卧 | 卧 | 卧 | 卧 | 卧 | 卧 |
| 理论注射容量/cm³ | 270 | 335 | 416 | 634 | 525 | 840 | ·255 | 610 | 1307 | 1617 |
| 螺杆（柱塞）直径/mm | 45 | 48 | 48 | 58 | 52 | 67 | 45 | 60 | 80 | 85 |
| 注射压力/MPa | 160 | 145 | 141 | 150 | 153 | 142.2 | 178 | 151 | 154.2 | 155 |
| 注射速率/（g/s） | 110 | 140 | 160 | 220 | 200 | 260 | 165 | 310 | 410 | 410 |
| 塑化能力/（g/s） | 18.9 | 19 | 22.2 | 24 | 28 | 34 | 35 | 47 | 65 | 70 |
| 螺杆转速/（r/min） | 10～200 | 10～200 | 10～200 | 10～125 | 10～160 | 10～125 | 10～390 | 10～266 | 10～170 | 10～150 |
| 锁模力/kN | 1250 | 1250 | 1600 | 3500 | 2000 | 3200 | 1500 | 2400 | 4000 | 4000 |
| 拉杆间距/mm | 415×415 | 415×415 | 410×410 | 545×485 | 460×460 | 600×600 | 460×400 | 550×550 | 750×750 | 750×750 |
| 移模行程/mm | 360 | 360 | 360 | 490 | 450 | 550 | 430 | 550 | 750 | 750 |
| 最大模具厚度/mm | 550 | 550 | 550 | 500 | 450 | 600 | 450 | 610 | 770 | 770 |
| 最小模具厚度/mm | 150 | 150 | 150 | 250 | 280 | 300 | 220 | 310 | 380 | 380 |
| 锁模型式 | 双曲肘 | 双曲肘 | 双曲肘 | 双曲肘 | 双曲肘 | 双曲肘 | 双曲肘 | 双曲肘 | | |
| 模具定位孔直径/mm | $\phi160$ | $\phi160$ | $\phi150$ | $\phi180$（深20） | $\phi160$ | $\phi160$ | $\phi125$ | $\phi160$ | $\phi2000$（深25） | $\phi2000$（深25） |
| 喷嘴球半径/mm | SR15 | SR15 | SR18 | SR18 | SR15 | SR20 | SR15 | SR35 | SR20 | SR20 |
| 喷嘴口孔径/mm | | | | | | | | | | |
| 生产厂家 | 上海第一塑料机械厂 | | | | | | | | | |

型号中的第一项代表塑料机械类，以大写印刷体汉语拼音字母"S"（塑）表示；第二项代表注射成型组，以大写印刷体汉语拼音字母"Z"（注）表示；第三项代表区别于通用型或是专用型组，通用型组省略，专用型也用相应的大写印刷体汉语拼音字母表示，如多模注射机以"M"（模）表示、多色注射机以"S"（色）表示、混合多色注射机以"H"（混）表示、热固性塑料注射机以"G"（固）表示；第四项代表是以"$cm^3$"为单位的注射容量主参数，以阿拉伯数字

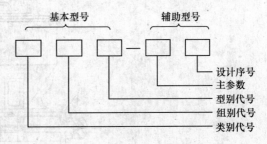

图 2-8　国产注射机型号表示方法

表示，若是卧式基本型时，在主参数前不再注代号，立式的注"L"（立），角式的注"J"（角），如果是不带预塑的柱塞式注射机时在代号之前另注"Z"（柱）。

注射机产品型号的表示方法各国不尽相同，国内也没有很好统一，国产注射机的规格系列有 SZ 系列和 XS 系列。SZ 系列是以理论注射容量和锁模力表示设备规格的，如 SZ—200/1000，是指理论注射容量为 $200cm^3$，锁模力为 1 000kN 的塑料注射成型机。XS 系列以理论注射量表示设备的规格，如 XS—ZY—125A 指预塑式（Y）塑料（S）注射（Z）成型（X）机，理论注射量是 $125cm^3$，A 指设备设计序号第一次改型。目前，国产注射机的厂家通常以厂家名称的缩写字母加上主参数表示注射机的规格，例如，HT 系列为海天机械有限公司生产的注射机，CJ 系列为震德公司生产的注射机等。另外，目前生产的注射机普遍配备 3 根不同直径的螺杆，国际上对这类注射机比较公认的规格表示法为注射量与注射压力的综合参数/锁模力。注射量与注射压力的综合参数/锁模力的计算方法是，取中间直径螺杆的理论注射量（$cm^3$）乘以中间螺杆的注射压力（MPa）再除以 100 所得的数值。为与国际接轨，目前我国部分企业开始用此法来表示型号规格。

# 2.2　注　射　装　置

## 2.2.1　注射装置的类型

注射装置是注射机的一个重要组成部分，它应在规定的时间内将一定量的塑料加热，使其均匀地熔融塑化到注射成型前的温度，并以一定的压力和速度把熔料注射到模腔中去。在熔料充满模腔、注射完成以后，还要有一段时间，继续保持对模腔中的熔料施加压力，以向模腔补充缩和防止熔料反流，提高制品的致密度。能够满足上述要求的注射装置，主要有柱塞式、柱塞预塑式、螺杆预塑式和往复螺杆式（简称螺杆式）。目前采用最多的是螺杆式，其次是柱塞式。

1. 柱塞式注射装置的组成和工作原理

图 2-9 所示为典型的柱塞式注射装置，它主要由料斗、加料计量装置、塑化部件（料筒、注射柱塞、分流梭、喷嘴等）、注射液压缸、注射座移动液压缸等组成。

图中注射柱塞 7 处于退回的位置，此时料斗 5 中的粒状塑料落入与注射液压缸活塞杆相联接的计量装置 4 的计量室 6 中。当注射液压缸 8 推动注射柱塞前移时，计量装置随之前移，

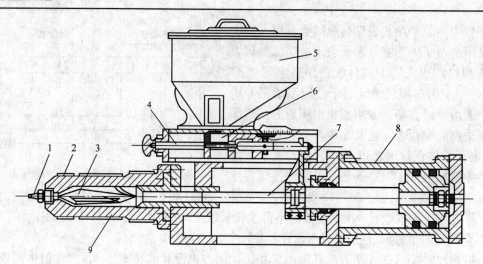

图 2-9 柱塞式注射装置

1—喷嘴；2—加热器；3—分流梭；4—计量装置；5—料斗；6—计量室；

7—注射柱塞；8—注射液压缸；9—料筒

从而使计量室中一定量的粒料经料筒 9 的加料口进入加料室。当注射柱塞退回时，料斗中粒料又一次进入计量室。注射柱塞再一次前移时，柱塞将料筒加料室中的粒料向前推移的同时，计量室的粒料又落入料筒的加料口。如此反复动作，粒料在料筒中不断前移。料筒外部加热器 2 的热量以热传导方式传递给料筒中的物料，使其逐渐熔融塑化，固态物料逐渐转变为粘流态的物料。在柱塞推动下物料经过分流梭 3 与料筒间的窄缝，经喷嘴 1 注射到模腔中去。在料筒中设置分流梭的目的是增加塑料的传热面积，减少塑料与料筒的温差，迫使流过的物料分散成薄层，加强传热效果，借以提高塑化能力，改善塑化质量。但是，分流梭并不能从根本上克服柱塞式注射装置的不足，其主要存在以下几方面的问题。

（1）塑化不均匀。由于物料在料筒内加热熔融塑化的热量，是靠料筒外部的加热器供给，塑料的导热性能差，物料在料筒内的运动呈"层流"状态，以致造成物料存在温差，料筒直径越大，温差越大。物料温度不一，就难于均匀塑化，使制品应力较大，甚至出现内层塑料尚未塑化好，而表层塑料已过热分解变质，因而更难于加工热敏性塑料。

（2）注射压力损失大。物料通过分流梭与料筒内壁的狭窄缝隙时，造成很大压力损失。据实测，采用分流梭的柱塞式注射机，模腔压力仅为注射压力的 25%～50%，因此需要提高注射压力。

（3）注射量的提高受到限制。单位时间内料筒壁传给物料的热量与物料的导热系数、料筒壁与物料的温差、加热面积成正比，而与物料的厚度成反比。为提高塑化能力而加大料筒与筒塞的长度与直径、提高加热温度，不仅不经济，反而加剧塑化温度的不均匀，以及过热分解现象的发生。

（4）不易提供稳定的工艺条件。注射的开始阶段，柱塞虽然匀速前移，但要等到将料筒中未塑化的物料压实后，熔料的注射速度才与柱塞速度相一致。先慢后快的充模速度及其不匀性，直接影响到制品的质量。

（5）料筒的清理也比较麻烦，但其结构简单，所以一般只用于注射量在 60cm$^3$ 以下的小型注射机。

2．柱塞预塑式注射装置的工作原理

柱塞预塑式注射装置是采用两个柱塞装置连接起来的，一个用来加热塑化，另一个用来注射保压。粒状塑料在预塑料筒内熔融塑化后转入注射料筒，由注射料筒实现注射和保压。这种装置虽然在一定程度上改善了原柱塞式的性能，但是结构较复杂，而且在提高注射量方面仍受到限制，因此很少应用。

3．螺杆预塑式注射装置的工作原理

螺杆预塑式注射装置是在柱塞式注射装置的基础上加一个螺杆塑化料筒，如图 2-10 所示。粒状塑料先经螺杆塑化料筒，随着螺杆旋转的物料，受到外部加热器的加热和螺杆对物料剪切功转变为热量的内部加热的共同作用下由玻璃态逐渐转变成粘流态，同时往前输送，经止回阀进入注射料筒。当注射料筒中塑化好的熔料达到所需的注射量时，塑化和供料暂停，柱塞前移即进行注射。

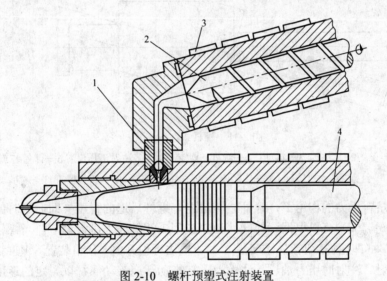

图 2-10　螺杆预塑式注射装置

1—止回阀；2—预塑螺杆；3—加热器；4—注射柱塞

这种螺杆预塑式注射装置的塑化速度较快且质量较均匀，可以提供较大的注射量，注射过程的压力和速度比较恒定。但已经塑化、流动性很好的熔料直接与注射柱塞接触，注射时容易在高压下反流。该形式的注射装置常在某些厂用小型机生产大型塑件的情况下使用。

4．螺杆式注射装置的组成和工作原理

螺杆式注射装置是目前最常用的一种，主要由塑化部件（螺杆 2、料筒 1、喷嘴 11）、螺杆传动装置、注射液压缸、注射座及其移动液压缸等组成，如图 2-11（a）所示。塑化部件和螺杆传动装置等装在注射座上，注射座借助注射座移动液压缸可沿底座的导轨往复运动使喷嘴撤离或贴紧模具。同时，为了便于拆换螺杆和清理料筒，在底座中部设有一个回转装置，使注射座能绕其转轴旋转一定角度，如图 2-11（b）所示。

螺杆式注射装置的工作原理如下。塑料从料斗落入料筒的加料口，依靠螺杆的转动将其带入并向前输送，同时，通过料筒的加热和螺杆的剪切摩擦作用逐渐塑化。塑化的熔料被输送到螺杆前端，随着螺杆的转动，塑料不断被塑化，塑化的熔料在喷嘴处越集越多，压力也

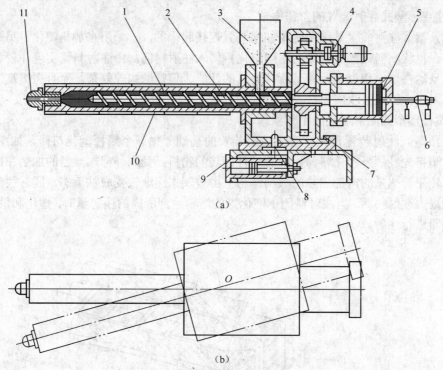

图 2-11　螺杆式注射装置

1—料筒；2—螺杆；3—料斗；4—螺杆传动装置；5—注射液压缸；6—计量装置；

7—注射座；8—转轴；9—注射座及其移动液压缸；10—加热器；11—喷嘴

越来越大，在熔料压力的作用下，螺杆边转边退，螺杆后退的背压（即后退时的反压力其大小可通过背压阀调节）可以根据塑料的品种和成型工艺的要求进行调节。当螺杆前端的熔料达到所需注射量（即螺杆后退到一定距离）时，撞击行程开关（计量装置），使螺杆停止转动。然后，开始注射。注射时压力油进入注射液压缸推动活塞带动螺杆以一定的速度和压力将熔料注入模腔，随后进行保压补缩，保压结束后开始第二次循环。由于这种注射装置在加料塑化时，螺杆边转动边后退，在注射时，螺杆前进，所以称之为往复螺杆式注射装置。

螺杆式注射装置与柱塞式注射装置相比有以下优点。

（1）塑化能力高。螺杆式注射装置对塑料的塑化不仅靠外部加热器加热，而且螺杆的旋转运动不断地对物料进行剪切摩擦，转化成的热量也对物料进行加热塑化。因而塑化效率高，塑化质量好，而且塑化量容易增大。

（2）注射压力损失小。螺杆式注射装置在注射时，螺杆头部的物料完全是塑化了的熔料，又没有分流梭造成的阻力。因而，在其他条件相同的情况下，它较之柱塞式注射装置可采用较小的注射压力。

（3）由于螺杆式注射装置的塑化能力大、质量好，也有条件降低加热器的加热温度，螺杆还兼有对料筒壁的刮料作用，所以螺杆式注射机生产率高、产生物料过热分解的现象比柱塞式注射装置少。

（4）螺杆式注射装置可以对塑料直接进行染色加工，而且料筒清理方便。

螺杆式注射装置的结构比柱塞式复杂，螺杆的设计和制造比较困难。但由于它的优点居多，所以，螺杆式注射机在目前广为应用，特别是大中型注射机基本上均采用螺杆式注射装置。

### 2.2.2　注射装置的主要零部件

**1. 料筒**

料筒是注射装置的重要组成部分，它既要完成对塑料的塑化，又要完成对塑料的注射，因此对它的耐温、耐腐蚀、耐磨损、具有一定的热惯性等方面的要求都比较高。根据料筒不同部位作用的不同，可将它分成加料室和塑化室，如图 2-12 所示。

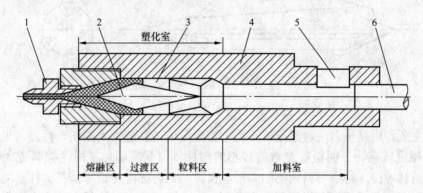

图 2-12　柱塞式注射机料筒

1—喷嘴；2—分流梭；3—加热室；4—料筒；5—加料口；6—柱塞

（1）加料室：是指柱塞在推料时所占据料筒的运行空间，加料室应该具有足够的落料空间，使散状的塑料方便地加入。为保持良好的加料条件，加料口附近需设冷却装置。

（2）塑化室：为料筒前半部除分流梭以外的内部空间，是对塑料加热并实现其物态变化的重要部分。由于塑料受热塑化所需要的时间比注射成型的循环周期长几倍，因此塑化室的容积应是注射量的 4～6 倍。

关于料筒的加热，目前多采用电阻加热圈，为准确控制料筒温度，通常根据料筒的长短分为 2～6 段的加热段，用热电偶及温度控制仪表对料筒温度进行分段控制。

螺杆式注射装置的料筒为了尽可能增强物料的输送能力，应尽可能增加螺杆的吸料面积和螺杆与料筒的接触面积，目前广泛采用图 2-13（a）、（b）所示的两种偏置形式的加料口，加料口的外形多为矩形，其长边与轴线平行。当采用螺旋式强制加料装置时，加料口为圆形。

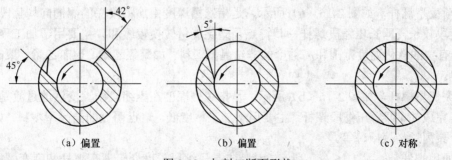

（a）偏置　　　　　　（b）偏置　　　　　　（c）对称

图 2-13　加料口断面形状

**2．分流梭**

分流梭的结构如图 2-14 所示，它设置在柱塞式注射装置的塑化室中央，形状似鱼雷，故又称鱼雷体。分流梭与加热料筒的内壁形成均匀分布的薄浅流道。料筒的部分热量通过数根翅翼（亦称肋）使分流梭受热。所以，当塑料进入加热室时，就形成了一个较薄的塑料层，同时受到加热料筒和分流梭两方面的受热，从而提高塑化能力、缩短塑化时间、改善塑化质量。为防止熔料挤入分流梭与料筒之间的间隙，而造成熔料的滞留过热分解，也为了便于拆装，分流梭上的数根翅肋与料筒内壁的配合，通常用 H7/h 6 配合。

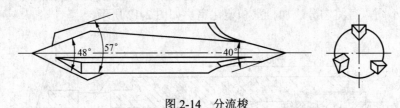

图 2-14　分流梭

**3．柱塞**

柱塞的主要作用是传递注射液压缸压力，将定量熔料高速注入模腔。柱塞（见图 2-15）是一个表面硬度较高、表面粗糙度数值较小的圆柱体，其前端加工成内圆弧或大锥角的凹面，以减少熔料被挤入柱塞与料筒的间隙形成反流。其内部可开设冷却孔。柱塞的行程和直径是根据注射量确定的，柱塞行程与直径比约为 3.5～6，柱塞与加料室的配合要保证柱塞能自由往复运动，且又不致漏料，一般选用 H8/f9～H9/f9 配合。

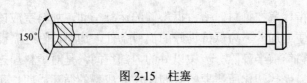

图 2-15　柱塞

**4．螺杆**

螺杆是螺杆式注射装置塑化部件中的重要零件。塑料在注射机中存在 3 种物理状态（即玻璃态、高弹态和粘流态）的变化过程，每一状态对螺杆的结构要求不同。为适应不同状态的要求，通常将螺杆分成 3 段即加料段 $L_1$（又称固体输送段）、熔融段 $L_2$（称压缩段）和均化段 $L_3$（称计量段），这就是通常所说的三段式螺杆。

（1）螺杆的结构形式。

螺杆根据压缩段长度的不同，分为渐变螺杆、突变螺杆和通用螺杆，如图 2-16 所示。

① 渐变型螺杆，如图 2-16（a）所示，是指螺槽深度由加料段深的螺槽向均化段浅的螺槽的过渡段较长，即长压缩段螺杆，其特点是塑化能量转换较缓和。主要用于加工聚氯乙烯类的、具有宽的软化温度范围和高粘度的非结晶型塑料，如聚氯乙烯、聚苯乙烯、聚碳酸酯、聚苯醚等。

② 突变型螺杆，如图 2-16（b）所示，是指螺槽深度在压缩段由深变浅的过渡是在较短的距离内完成的，即短压缩段螺杆，主要用于加工粘度低、熔点明显的结晶型塑料，如尼龙、聚乙烯、聚丙烯、聚甲醛等。

③ 通用螺杆，如图 2-16（c）所示，其特点是压缩段长度介于渐变螺杆和突变螺杆之间，

为（3～4）$D_1$。使用这种螺杆的出发点是，当更换不同品种的塑料时，不需要更换螺杆的麻烦和时间的损耗。使用通用螺杆时，只需调整工艺条件（如料筒温度、螺杆转速、背压等）就可以满足不同塑料制品的加工要求，有较宽的应用范围。但对某些塑料而言，会降低塑化效率，增加功率消耗，使用性能不如专用螺杆。

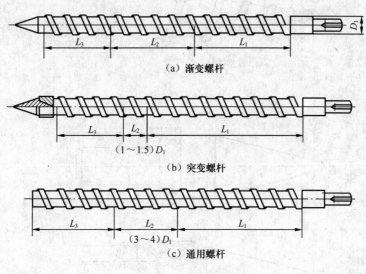

（a）渐变螺杆

（b）突变螺杆

（c）通用螺杆

图 2-16　注射螺杆形式

（2）螺杆头。

为防止螺杆式注射机在加工粘度较低的塑料和形状较复杂的制品时，机头头部的高压熔料顺着螺槽倒流的现象，而增加注射压力损失和保压的困难，并降低生产能力和产品质量；又为了防止加工类似硬聚氯乙烯类高热敏性和高粘度的塑料时，发生由于螺杆头处排料不净，而造成滞料分解现象。因此，螺杆头的结构有多种形式，螺杆头的头部大多为尖形的，有的还带有止逆结构的螺杆头。下面介绍几种常见的螺杆头。

① 不带止逆结构的螺杆头：图 2-17（a）所示为锥形螺杆头，其锥角一般为 20°～30°。其中一种是光滑圆锥角，另一种在锥形部分加工出螺纹，以减少熔料倒流。这两种螺杆头结构简单，消除熔料的停滞分解现象，主要用于聚氯乙烯类高热敏性和高粘度塑料的加工。

② 带止逆结构的螺杆头：图 2-17（b）所示为止逆环式螺杆头，它由止逆环、环座和螺杆头主体组成。当螺杆转动塑化时，沿着螺槽前进的熔料将止逆环向前推移，空出熔料的通道；注射时，因螺杆头部的熔料处于高压，使止逆环后移而将流道关闭，阻止熔料的回流。图 2-17（c）所示为止逆球式螺杆头，它由密封钢球、球座和螺杆头主体组成。其作用原理与止逆环式螺杆头相似。预塑时，熔料推开钢球，流到螺杆头前部；注射时，钢球密封熔料回流通道。带有止逆结构的螺杆头，适用于低、中粘度塑料的加工。

以上介绍了比较常用的注射螺杆和螺杆头。近年来，针对常规全螺纹螺杆存在的问题，设计产出了一些新型注射螺杆。新型螺杆就是在注射螺杆的均化段增设一个混炼环；它一般用于粗螺杆，以提高螺杆的塑化能力。混炼环（见图 2-18、图 2-19）做成销钉型或屏蔽型起到对固体床碎片进行粉碎、细化、剪切、混炼等作用。

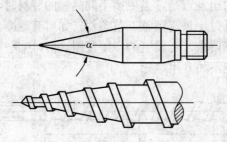

（a）锥形螺杆头

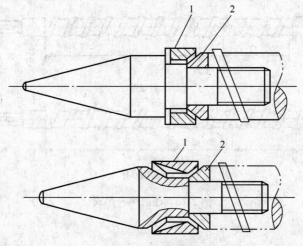

（b）止逆环式的螺杆头

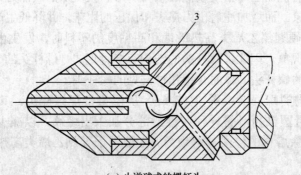

（c）止逆球式的螺杆头

图 2-17　螺杆头的结构形式

1—止逆环；2—环座；3—止逆球

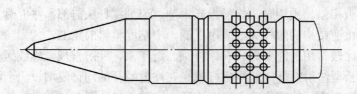

图 2-18　销钉型注射螺杆

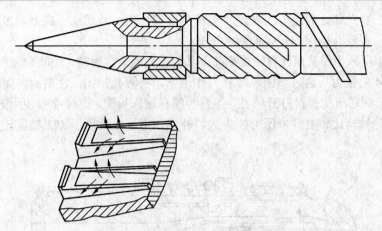

图 2-19　屏蔽型注射螺杆及元件展开

**5．喷嘴**

喷嘴是安装在料筒最前端的零件。注射时，喷嘴与模具紧密贴合连接，料筒里的熔料经过喷嘴的内孔道，注入模腔内。因为喷嘴内孔道的直径较小，所以，注射时它起到建立熔料的压力、提高注射速率的作用，而且由于使熔料产生剧烈的剪切和摩擦，从而熔料得到进一步混炼、均化和升温。

喷嘴的结构形式较多，常用的可归为三大形式：直通式、自锁式和特殊用途喷嘴。

（1）直通式喷嘴。

直通式喷嘴结构如图 2-20 所示，其中，图（a）为通用式直通喷嘴，它的优点是结构简单、制造容易、对注射压力造成的损耗小，缺点是当喷嘴离开模具时，低粘度的熔料容易从喷嘴流出，即产生"流涎"现象。另外，该喷嘴体短，外面无法安装加热器，熔料易于冷却。因此，这种形式的喷嘴主要用于熔料粘度高的塑料。

图 2-20（b）所示为延伸式喷嘴，是通用式直通喷嘴的改型。由于增加了喷嘴体长度，可以进行加热，故不易形成冷料，补缩作用大，但仍未克服"流涎"现象，适用于成型厚壁制件及高粘度塑料。

图 2-20（c）所示为远射程喷嘴，它因储料多并有外部加热作用，不易形成冷料，而且喷嘴内孔直径较小，"流涎"现象略有克服，射程远，该喷嘴适用于成型形状复杂的薄壁制件。

总之，直通式喷嘴结构简单、压力损耗小、补缩作用大，不易产生滞料分解现象，故使用很广泛，特别适用于成型高粘度塑料，如有机玻璃、硬聚氯乙烯、聚碳酸酯、聚苯醚以及一些增强塑料。因为这种喷嘴易产生"流涎"现象，故不适于低粘度的塑料成型。

（2）自锁式喷嘴。

自锁式喷嘴的喷孔除了在注射和保压两个阶段打开

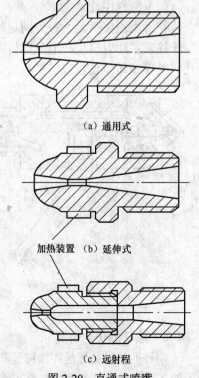

（a）通用式

加热装置　（b）延伸式

（c）远射程

图 2-20　直通式喷嘴

外,其余时间一直关闭,它是专为杜绝"流涎"而设计的,故适用于成型粘度较低的塑料。它的结构较多,在此介绍用的较多的两种形式。

① 图 2-21 所示为弹簧顶针自锁式喷嘴,其工作原理是注射前,喷嘴内熔料的压力较低,顶针 1 在弹簧 4 的张力(通过垫圈、导杆)作用下,将喷孔封闭,注射时,熔料具有很高的压力,强制针形阀芯压缩弹簧打开喷孔,熔料经喷孔注入模腔。这种喷嘴使用方便,没有"流涎"现象,但是结构比较复杂、压力损失大、补缩作用小,适用于加工粘度较低的塑料。

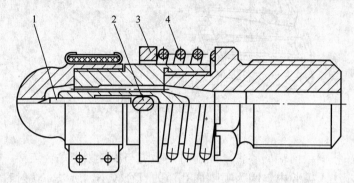

图 2-21  弹簧顶针自锁式喷嘴
1—顶针;2—导杆;3—压环;4—弹簧

② 图 2-22 所示为液控自锁式喷嘴,它的组成和工作原理与上一种相似,只是控制顶针启闭喷嘴的动作由小液压缸通过杠杆来实现。这样,锁闭可靠、压力损失小,但需增设液压控制系统,有时还可能产生滞料分解现象。

(3)特殊用途喷嘴。

特殊用途喷嘴是一种为满足特殊工艺要求而设计的喷嘴。图 2-23 所示为混色喷嘴,是为用于柱塞式注射机生产混色塑料制品,提高其物料组分混合的均一性而设计的专用喷嘴。它是在喷嘴流通中设置双层多孔板,以利于色料和物料混合的均匀性。

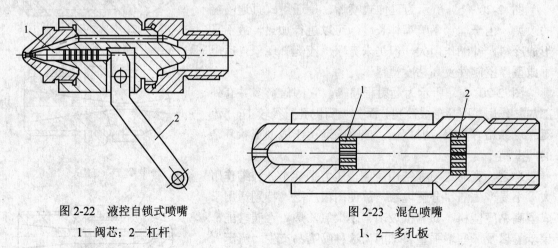

图 2-22  液控自锁式喷嘴
1—阀芯;2—杠杆

图 2-23  混色喷嘴
1、2—多孔板

### 6. 螺杆的传动装置

螺杆的传动装置是在加料预塑时给螺杆提供所需扭矩和转速的工作部件。由螺杆式注射装置的工作原理可知,螺杆加料预塑是间歇运动,因此起动频繁,负荷较大。故传动装置必须首先满足这种要求，同时为了适应不同塑料的加工，螺杆的扭矩和转速应有一定的调节范围。

螺杆的传动形式很多，根据螺杆速度的变化情况可分为无级调速和有级调速两大类。

（1）无级调速：主要有两种形式，一种是用高速液压马达经齿轮减速箱驱动螺杆，如图2-24 所示，另一种是用低速大扭矩液压马达直接驱动螺杆，如图 2-25 所示。

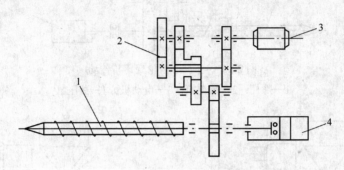

图 2-24　高速液压马达经齿轮减速箱驱动螺杆

1—螺杆；2—齿轮；3—液压马达；4—液压缸

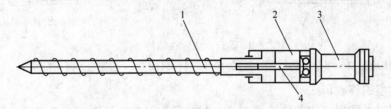

图 2-25　低速大扭矩液压马达直接驱动螺杆

1—螺杆；2—液压缸；3—液压马达；4—花键轴

根据成型工艺对注射螺杆传动的要求，使用液压马达比较理想，因为液压马达的传动特性软（即当负荷发生变化时，转速能迅速跟着改变）、起动惯性小，可以对螺杆起到过载保护作用。同时，可在不停车的情况下实现无级调速。与同规格的电动机相比，质量轻、体积小、结构紧凑、噪声小。从能源利用方面来说，因为大部分螺杆式注射机都采用液压传动，当螺杆预塑时，注射机处在硬化定型阶段，此时，液压泵处于无负荷状态，若用液压马达，可方便地得到动力来源。目前采用这种传动方式的螺杆越来越多。

（2）有级调速：由电动机和齿轮变速箱组成，如图 2-26 所示，它可通过变速箱换挡或调换齿轮来改变螺杆的转速。螺杆的转速和扭矩成反比，所以，当输入的功率一定时，降低螺杆的转速可增大螺杆的扭矩。这种传动装置在早期应用的较多，现代新型注射机则很少采用。

7．注射座及其移动和转动装置

注射座是用来连接与固定塑化部件、注射液压缸、移动液压缸等重要结构零件或组件，是注射装置的安装基准，它可以沿着导轨前后移动，并且可以转动一定角度。

（1）注射座结构。

图 2-27 所示为外形相似，但注射座结构不同的两种注射装置。图 2-27（a）是整体式结构，螺杆的传动装置（减速箱）、液压缸、料筒都安装在注射座上，图 2-27（b）所示为组合式结构，是以螺杆传动装置的减速箱作为安装基体，液压缸和料筒分别通过支承座和加料座与减速箱体连接。

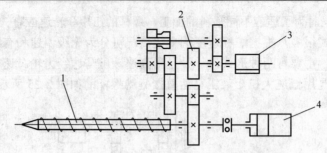

图 2-26　电动机-齿轮变速箱传动

1—螺杆；2—齿轮箱；3—电动机；4—液压缸

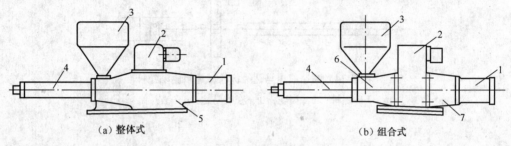

（a）整体式　　　　　　　　　　（b）组合式

图 2-27　注射座结构

1—注射液压缸；2—螺杆传动装置；3—加料斗；4—料筒；5—注射座；6—加料座；7—支承座

（2）注射座的移动形式。

注射成型时，根据工艺条件的要求，在加料预塑时喷嘴是否与模具接触，注射装置有以下 3 种工作方式。

① 固定加料：是指机器在每次工作循环中，喷嘴始终紧贴模具主浇道衬套，即注射座是固定不动的。这种加料预塑方式适用于加工温度范围较宽的一般塑料（如软聚氯乙烯等），其特点是循环周期短，生产率高。

② 前加料：是指在每次工作循环中，注射部件整体要作一次往复运动，而且加料预塑是在喷嘴撤离模具主浇道衬套之前进行的，故称之为前加料。这种加料预塑方式主要用在使用开式喷嘴或需较高背压进行塑化的场合，以减轻喷嘴的"流涎"现象。

③ 后加料：是指喷嘴撤离模具主浇道衬套以后才进行加料预塑，故称之为后加料。这种方式喷嘴同冷模具接触时间最短，所以适用于结晶型塑料的加工。有时因模温较低或喷嘴的结构关系，也同样要求采用后加料方式。

（3）注射座的转动装置。

在更换螺杆或修理螺杆时，经常需要拆卸螺杆。由于料筒前端装有模板，给装拆螺杆带来不便。因此，在较多的注射机上将注射装置设计成可转动的结构，如图 2-28（a）所示，或

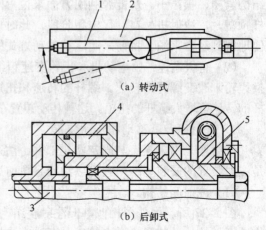

（a）转动式

（b）后卸式

图 2-28　螺杆拆卸方式

1—注射装置；2—机架；3—螺杆；
4—注射液压缸；5—传动轴

从塑化装置后部拆装螺杆，如图 2-28（b）所示。

# 2.3　合模装置

合模装置的作用主要是实现模具的开合动作和行程；在注射和保压时，提供足够的锁模力；开模时，提供顶出制件的行程及相应的顶出力。合模装量主要由前后固定模扳、活动横板、拉杆、液压缸、连杆、模具调整机构、顶出机构、安全保护机构等组成。

## 2.3.1　合模装置的形式

合模装置的形式按实现锁模力的方式不同可分为液压式、液压—机械式和机械式三大类。机械式是早期注射机采用的，因其锁模力及模板移动行程有限、工作噪音大，现已基本被淘汰。目前应用比较广泛的是液压—机械式和液压式。

1. 液压式合模装置

液压式合模装置是依靠液体的压力直接锁紧模具，当液体的压力解除后，锁模力也随之消失。目前，液压式合模装置的传动方式主要有单缸直压式、增压式、充液式等。

（1）单缸直压式合模装置。

单缸直压式合模装置是液压式合模装置中最简单的一种形式，它是直接用一个液压缸来实现开模和合模的，如图 2-29 所示。压力油进入液压缸的左腔时，推动活塞向右移动，模具闭合，待油压升至预定值后，模具锁紧。当油液换向进入液压缸右腔时，模具打开。

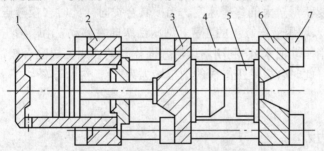

图 2-29　单缸直压式合模装置

1—合模液压缸；2—后固定模板；3—移动模板；4—拉杆；
5—模具；6—前固定模板；7—拉杆螺母

单缸直压式合模装置的锁模力和移模速度分别用下面公式计算：

$$F = \frac{\pi D^2 p}{4}$$

$$\upsilon = \frac{2Q}{3\pi D^2} \times 10^{-4}$$

式中：$\upsilon$——移模速度，m/s；$F$——锁模力，N；$Q$——合模液压缸进油流量，L/min；$D$——合模液压缸直径，m；$p$——工作油压力，Pa。

如前所述，对合模装置的要求是在满足锁模力的情况下，其应有较高的模板运行速度，以提高生产效率。但是，从上述两式可以看出，当液压泵流量和油压一定时，要提高模板的运行速度，应该用小直径液压缸；要增大锁模力则应用大直径液压缸。显然，增大锁模力和快速运行对单缸直压式合模装置结构的要求是矛盾的。由于这一矛盾，限制了它在生产上的应用，从而也推动了合模装置的发展，目前其主要用在小型机上。

（2）增压式合模装置。

在液压式合模装置中，为获得不同速度和锁模力，可以从液压缸直径和压力油的压力方面考虑。增压式合模装置是通过提高工作油压力，即采用增压式液压缸的结构，以满足提高锁模力的需要，如图 2-30 所示。

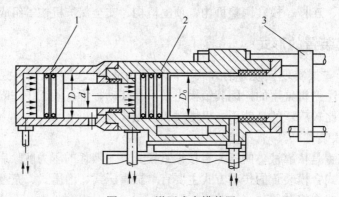

图 2-30　增压式合模装置
1—增压液压缸；2—合模液压缸；3—动模板

这种合模装置，在合模时压力油通入合模液压缸 2 的左腔，由于液压缸直径较小，移模推力也较小，从而能获得较大的移模速度。当模具合拢时（此时合模液压缸的进油路处于关闭状态），压力油进入增压液压缸 1 的左腔，增压活塞向右移动，由于增压活塞及活塞杆两端的直径不一样（所谓差动活塞），利用增压活塞面积差的作用，提高合模油缸内的油液压力，满足锁模力的要求。此时合模液压缸内的油压增大为

$$p = p_0 \frac{D^2}{d^2}$$

合模缸产生的锁模力为

$$F = p_0 \frac{D^2}{d^2} \times \frac{\pi D_0^2}{4} \tag{2-1}$$

式中：$p$ ——锁模时合模液压缸内油压，Pa；$p_0$ ——工作油压力，Pa；$D^2/d^2$ ——增压活塞大端直径的平方与其小端直径的平方之比；$F$ ——锁模力，N；$D_0$ ——合模液压缸直径，m。

由于油压升高对液压系统的封闭要求较高，因此采用增压液压缸来提高油压有限度，目前一般增压到 20～30MPa，最高达 45～50MPa，因此这种结构形式主要用于中小型注射机中。

（3）充液式合模装置。

由式（2-1）可知，增大锁模力主要有两个途径，即增高油压或加大液压缸直径。但是，油压的增加总是有限的，因而，提高锁模力主要依靠增大液压缸直径的办法来解决。充液式合模装置是应用不同直径的两个液压缸组合在一起，大直径液压缸（合模液压缸）用于锁模，小直径液压缸（快速液压缸）用于移模，分别满足增大锁模力和快速移模的要求。如图 2-31 所示，又为了采用大直径锁模液压缸以后不影响移模速度，而设置了充液阀和充液油箱。

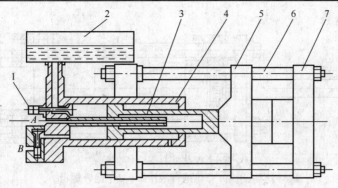

图 2-31　充液式合模装置

1—充液阀（液控止回阀）；2—充液油箱；3—快速（移模）液压缸；

4—合模液压缸；5—动模板；6—拉杆；7—定模板

充液式合模装置的工作原理是，合模时压力油首先从 $A$ 孔通入快速液压缸 3 内，动模板则随着快速液压缸的缸筒右行，由于该缸直径很小，从而实现了快速移模动作，在快速移模液压缸缸筒（又是合模缸活塞）右行进行合模过程中，合模缸 4 的左腔形成负压，使充液阀 1 打开，于是充液油箱中大量的油液在大气压作用下，经充液阀充入合模缸的左腔。当模板行至终点时，向合模缸左端 $B$ 孔通入压力油，同时充液阀关闭，继续通入压力油，使合模缸油压上升至工作油压，由于合模缸的直径较大，因而得到较大的最终锁模力要求。

充液式合模装置可以实现快速移模（30m/min 以上）和达到相当大的锁模力（3 000～4 000kN 以上），但合模液压缸的直径较大，缸体也较长，因此，不仅结构笨重、刚性差，而且在一次工作循环中，工作油液吞吐量大，造成较大的功率消耗。这种合模装置一般在小型注射机上使用。

（4）液压—闸板式合模装置。

充液式合模装置在一定程度上克服了为提高锁模力、增大合模液压缸直径而影响合模速度的矛盾，但正如前面所述还存在不足之处。在充液式合模装置的基础上为减轻机器重量、节省油耗、简化装置，在大型注射机合模装置中出现了液压与机械定位装置联合的特殊液压合模装置，即液压—闸板式合模装置（又称稳压式合模装置），主要用于锁模力在 3 000～5 000kN 以上的注射机中。

稳压式合模装置在锁模时是由缸径大的稳压缸进油升压来完成的，故锁模动作平稳，模板的开距也比较大，而且可在较大范围内调节，有较大的锁模力，以满足注射大面积制品的需要。此外，锁模力和开模力均可调节，同时为加大开模力，在固定模板上下都设有液压缸，用以辅助开模。

（5）液压—抱合式合模装置。

为增大锁模力而采用增大稳压液压缸直径的方法，同样也有限度，不但受到模板尺寸的限制，而且过大直径的液压缸给制造和维修也带来困难。显然，对于更大型的注射机不太适用。图 2-32 中的液压—抱合式合模装置适用于锁模力在 10 000kN 以上的注射机。

它的工作原理是，将 4 个串接锁模液压缸 6 设置在拉杆端部。合模时，由移模液压缸 1 推动，当移动模板行至锁模位置时，4 个对开螺母（抱合螺母）3 由抱合液压缸作用分别抱合 4 根带螺纹部分的拉杆，使之定位。然后向 4 个串接的锁模液压缸（拉杆的凸起部分即为锁

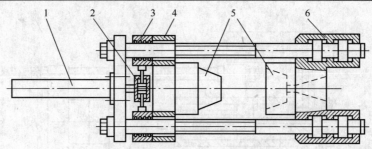

图 2-32　液压-抱合式合模装置

1—移模液压缸；2—抱合液压缸；3—抱合螺母；

4—动模板；5—模具；6—锁模液压缸

模缸的活塞）的左腔通压力油，将前定模板向移动模板推移，使模具锁紧（前固定模板实际上是可移动的）。开模时，串接的锁模缸组首先卸压，抱合螺母松开后，移模液压缸换向进排油，即行开模。

这种合模装置的特点是：移模液压缸直径小，能快速合模；没有大直径的锁模液压缸，加工容易，密封性能容易保证；拉杆承受锁模力的长度大为缩短，刚性好，故适用于大型注射机。

综上所述，液压式合模装置具有很多优点，例如，模板开距大，能适应不同高度制品的加工；移动模板可以在行程的任意位置停留，给调节模板间距带来方便；通过调节压力油压力和流量，可以很方便地达到调节移模速度、锁模力，而且锁模力可直观示出，给操作带来方便；机件与油液接触，自然得到润滑，磨损小。但是，液压系统元件和管道多，且多有泄漏，影响动作的准确性和稳定性，维修技术要求高。总之优点居多，所以得到广泛应用。

2．液压—机械式合模装置

液压—机械式合模装置是以液压为动力源，利用连杆机构或曲肘撑杆机构实现开、合（锁）模动作，锁模力是由机械构件产生弹性变形而形成的一种合模装置。下面介绍其常用的几种形式。

（1）液压单曲肘式合模装置。

图 2-33 所示为液压单曲肘式合模装置，它主要由前固定模板、后固定模板、移动模板、肘杆、合模液压缸、调模装置和制品顶出装置等组成。合模液压缸可统一支点摆动，其活塞杆和肘杆相铰接。当压力油进入合模液压缸的上腔时，活塞下行，与其相连的连杆机构向右伸展，推动移动模板向前移动。模具刚接触时，二连杆尚处在相折状态（夹角大于零），随着合模液压缸油压的上升，迫使二连杆呈一直线排列，则锁模系统构件因弹性变形而产生预应力，使模具可靠锁紧（图中实线位置）。开模时，压力油从移模缸下腔通入，使二连杆呈小夹角的相折状态（图中虚线所示位置），移动模板被拉回，完成开模。

这种单曲肘式合模装置的驱动液压缸较小，装在机身内部，使机身长度较小，调模方便，结构较简单，易于制造。但由于是单臂推动模板运动，模板受力不均，增力倍数也不很大（一般为 10 多倍），所以通常用于模板面积比较小的，锁模力在 1 000kN 以下的小型注射机。

（2）液压双曲肘式合模装置。

图 2-34 所示为液压双曲肘式合模装置，其结构组成和基本工作原理与单曲肘式合模装置相似。它是采用对称排列的双臂双曲肘锁模机构，以及合模液压缸为水平安装。合模时，压

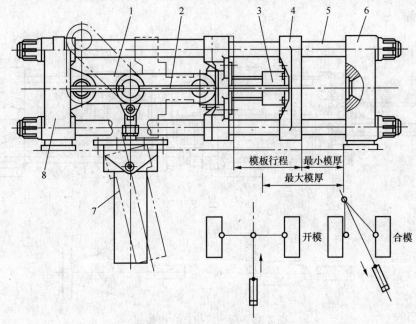

图 2-33 液压单曲肘式合模装置

1—肘杆；2—顶出杆；3—调距螺母；4—移动模板；5—拉杆；

6—前固定模板；7—合模液压缸；8—后固定模板

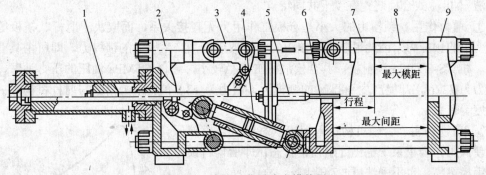

图 2-34 液压双曲肘式合模装置

1—合模液压缸；2—后固定模板；3—肘杆；4—调节螺母；5—顶出装置；6—顶杆；

7—移动模板；8—拉杆；9—前固定模板

力油从合模液压缸左底部通入，活塞前进，肘杆伸直，实现合模并锁紧（图中上半部所示状态）。开模时，合模液压缸右腔进入压力油，活塞后退，肘杆相折，将移动模板拉回而开模（图中下半部所示状态）。由于该结构形式是双臂传力，模板受力均匀，所以可适应较大模板面积，机构的承载能力和扩力倍数较之单曲肘式也更大些。

（3）液压撑板式合模装置。

图 2-35 所示为液压撑板式合模装置，它是液压双曲肘合模装置的另一种结构形式。图中上半部所示为合（锁）模状态，下半部所示为开模状态。合模时，合模液压缸 1 左腔进压力油，推动十字头导向板 2 带动肘杆与撑板 4、5 沿着滑道右移。当撑板行至滑道的末端时，受肘杆向外垂直分力的作用，使其沿斜面撑开，从而锁紧模具。开模时，肘杆带动撑板下行，

锁紧状态解除。

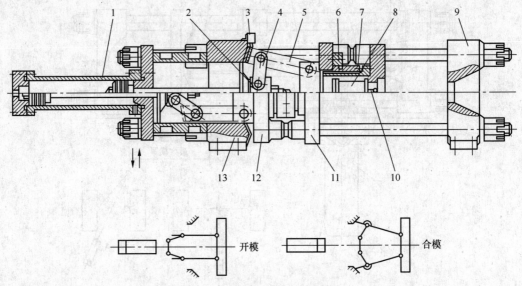

图 2-35　液压撑板式合模装置

1—合模液压缸；2—十字头导向板；3—限位开关；4、5—肘杆（撑板）；6—压紧块；7—调距螺母；
8—顶出液压缸；9—前固定模板；10—顶出杆；11—前移动模板；12—后移动模板；13—撑座

液压-机械式合模装置有以下共同特点。

①　增力作用。锁模力的大小与合模缸作用力无直接关系，而取决于肘杆、模板等产生弹性变形的预应力，因此可以采用较小的合模液压缸，产生较大的锁模力，即所谓具有增力作用。如 XS-ZY-125 注射机，其合模液压缸直径较小，通以 6.5MPa 油压的压力油时，液压缸推力为 72kN，却能产生 900kN 的锁模力，增力为 12.5 倍。增力倍数与肘杆机构形式和肘件长度等有关。

②　自锁作用。合模机构进入锁模状态后，合模液压缸即使卸压，合模系统也仍处于锁紧状态，即所谓自锁作用。锁模可靠，也不受油压波动影响。

③　模板运动速度和合模力是变化的，如图 2-36 所示，其变化规律基本符合工艺要求。从合模开始，速度从零很快升到最高速度以后又逐渐减速到零，模具闭合以后才升到最大锁模力。开模过程与上述过程相反。

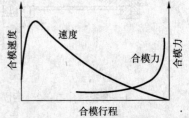

图 2-36　模板运动速度和合模力变化曲线

④　模板间距、锁模力和合模速度的调节必须设置专门的调节机构，并且调节的难度较之液压式的大。此外，曲肘机构容易磨损，且加工精度要求比较高。

### 2.3.2　调模装置

模板距离是指移动模板后退到极限位置时，移动模板与前固定模板之间的距离。模板距离调节机构，俗称调模机构，或称调距机构，它用来调节移动模板和前固定模板之间的距离。调模装置是为适应模具厚度变化而设置的，调模行程决定了模具的最大和最小厚度。对不同的合模装置，其调模装置和调模方式也不同，下面主要介绍液压式和液压-机械式合模系统的调模装置。

1. 液压式合模系统的调模装置

液压式合模装置的动模板是直接固定在活塞杆或缸体上的。因此，动模板的行程是由合模液压缸行程决定的，调模是利用合模液压缸来实现的，调模行程包含在动模板行程内，为动模板行程的一部分。故该类合模装置一般仅规定动、定模板间的最大开距，而不明确给出调模行程。为防止合模液压缸超越工作行程，必须限制模具的最小厚度，严禁注射机在无模情况下进行合模操作。

2. 液压—机械式合模系统的调模装置

对于液压—机械式合模装置来说，调模装置也是调整锁模力的装置。因为液压-机械式合模装置是由固定的尺寸链组成的，调节合模系统的变形量，即可达到调整锁模力的目的。目前使用的调模装置形式很多，下面介绍几种常用的调模装置。

（1）螺纹肘杆调距。

有的合模装置的连杆是用螺套连接成的两段（带螺纹）结构，如图 2-37 所示。螺套两端内螺纹方向相反。通过转动螺套来改变连杆长度，以达到调距的目的。这种形式的调距机构制造容易、调节方便，但连杆刚度降低，因此，多用于中小型注射机。

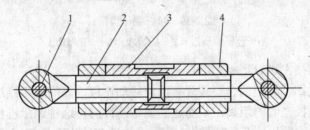

图 2-37　螺纹肘杆调距

1—销轴；2—肘杆；3—螺套；4—固紧螺套

（2）移动合模液压缸位置调距。

移动合模液压缸位置调距的合模装置的合模液压缸的缸筒外圆带有螺纹，与后固定模板为螺纹连接（见图 2-38），通过转动调节手柄，带动大螺母转动，使合模液压缸发生轴向位

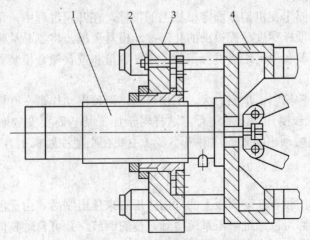

图 2-38　移动合模液压缸位置调距

1—合模液压缸；2—安装调节手柄的方头；3—后固定模板；4—后模板

移，从而使整个合模机构移动达到调整模板距离的目的。这种形式多用于中小型注射机。

（3）拉杆螺母调距。

拉杆螺母调距的合模装置的合模液压缸固定在后固定模板上（见图 2-39），通过调节 4 个拉杆上的螺母使合模液压缸沿着拉杆作轴向移动，从而达到调距的目的。

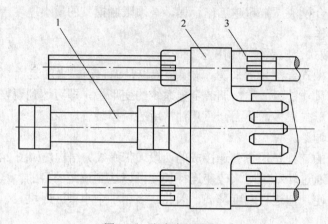

图 2-39　拉杆螺母调距

1—合模液压缸；2—后模板；3—调节螺母

（4）动模板间连接大螺母调距。

动模板间连接大螺母调距的合模装置有两块移动模板，其间用螺纹连接起来，通过转动螺杆改变两块移动模板之间的距离，从而达到调距的目的。这种调距机构增加了一块移动模板，虽然增加了机器重量和长度，但调节方便，同步性和结构刚性都比较好，使用比较广泛。

### 2.3.3　顶出装置

注射成型结束后，为从模具中取出制品，在各类合模装置上都需要设置顶出装置。顶出装置可分为机械顶出、液压顶出和气压吹出 3 种形式。

1．机械顶出装置

机械顶出是利用固定在机架或固定模板上的顶杆，在开模过程中，顶杆与向后倒退的动模板产生相对运动，顶杆穿过动模板上的孔，推动模具顶板，将制品从模具中顶出。顶杆的长度可以根据模具厚度和顶出距离进行调节，顶杆数量和位置随合模装置的特点和制品大小而定。

机械顶出装置结构简单、顶出力大、工作可靠，但顶出动作是在开模后期进行的，而模具内顶板的复位要在合模开始以后进行，这样对于加工某些需要安放嵌镶件的制品很不方便。所以，只设有机械顶出装置的注射机不多（主要在小型注射机上），一般都还配备有别的顶出装置。

2．液压顶出装置

液压顶出是用专门设置在动模板上的顶出液压缸来顶出制品。由于液压顶出的顶出力、速度、行程、时间等都可以通过液压系统得到方便的调节，并可自动复位，所以使用方便、适应性强，但结构复杂，顶出力不如机械顶出力大。所以，目前在许多注射机中兼设有机械顶出和液压顶出两种装置，以供生产实际需要选用或同时兼用。

3．气压吹出装置

气动顶出是利用压缩空气为动力，通过模具上设置的气道和微小的顶出气孔，直接把制件顶出，这种顶出方法比较简单，在制件表而不留痕迹，对盒、壳等制件顶出十分有利。但此法需要增设气源和气路等辅助设备，使用范围受到限制，目前采用得较少。

# 2.4　注射机的使用及维护

## 2.4.1　注射机的使用

要得到满意的合格制品，除需用合理的模具、合适的注射成型机外，还需操作者正确地使用注射机，包括对操纵方式的调整，注射机零部件、机构的调整，成型工艺条件的调节和注射机的安全措施等。

1．调整操纵方式

注射机一般都具有点动、手动、半自动和全自动 4 种操纵方式，供操作者按实际需要使用。

（1）点动。

点动操纵又称调整操纵，指机器的所有动作都必须是按下相应按钮开关的情况下，才慢速进行；放开按钮，动作即行停止。点动操纵方式在装卸模具或螺杆、调整试车或检修机器时使用。

（2）手动。

手动指机器的各个动作，只需按一下相应按钮该动作就会一直进行到这个程序结束。这种操纵一般用在试模和生产开始阶段或难以用自动化生产的场合。

（3）半自动。

半自动指当安全门关闭之后，机器即按照编制的生产工艺程序自动执行各种动作，一直到完成"制件顶出"程序后才结束。从打开安全门到取出制件，这段时间不受"循环计时"控制。半自动操纵实际上是一个工作循环的自动化，可以减轻体力劳动，提高工作质量。此操作主要用于组织全自动化生产尚不具备条件的一些制件的加工上，例如，必须由人工取小制件或放入嵌件的生产过程。这是注射机经常采用的操纵方式。

（4）全自动。

全自动指机器完全由电器控制进行生产，成型周期自动地循环进行。用这种操纵方式可以实现无人或远距离操作，制件生产质量稳定，生产周期短，生产效率高。但是，高效化生产必须配置自动化、高寿命的模具，因此，这种操纵方式仅适用于大批量、精密制件的生产。

生产时，在手动操纵全部动作正常后，才启动半自动操纵；在半自动操纵正常工作 3～5 个循环后，在关模结束时，按全自动键，机器进入全自动工作状态。

2．调整注射装量

（1）清洗料筒。

如果需要更换原料、调换颜色或发现注射塑料有分解现象时，均需对注射机料筒进行清洗。对螺杆式注射机通常采用直接换料的办法，若欲换塑料的成型温度远比料筒内存留塑料的成型温度高，则应当先将料筒和喷嘴的温度升高到欲换塑料的最低加工温度，然后加入欲换塑料（可用欲换塑料的回头料），并连续进行对空注射，直至全部存料被清洗完毕才调整温度进行正常生产。若欲换塑料的成型温度远比料筒内塑料的成型温度低，则应当将料筒和喷嘴的温度升高至料筒内塑料的最好流动温度，然后切断电源，用欲换塑料在降温下进行清洗。如欲换塑料的成型温度高，熔融粘度大，而料筒内的存留料是热敏性塑料（如聚氯乙烯、聚甲醛），为防止塑料分解，应选用流动性好、非热敏性的塑料（如聚苯乙烯、高压聚乙烯）作为过渡换料。

（2）调整塑化螺杆和喷嘴的类型。

① 塑化螺杆。

塑化装置中螺杆的使用是否正确直接影响到塑化质量和机器的使用寿命。

螺杆起动：注射机料筒从室温加热到所需的温度大约需要 30min，大型机所需时间稍长一些。如果料筒内有剩余冷料，则须再保温一段时间（一般为 15min 左右）才能起动螺杆，以保证残余料充分熔融，避免损伤螺杆和造成传动装置因过载而损坏。

螺杆空转：预塑加料初期，在螺杆和料筒尚未加料时，不宜采用高的螺杆转速，一般空转转速在 50r/min 以下。待物料充满螺槽（熔料由喷嘴口挤出时）时，再将螺杆转速升到需要的数值，以免因空转速度过高或时间过长而损伤螺杆或料筒。

塑化部件的装拆：注射机塑化部件一般设置在整体转动机构上。在装拆料筒和螺杆时，首先将料筒（注射座）与原来位置偏转一个角度，使料筒避开模板。如果料筒内有余料，应先加热到塑化温度，方能拆除喷嘴。然后将螺杆从传动装置上卸下，将其从料筒的前端顶出。在拆卸螺杆头时，应注意螺杆头连接螺纹的旋向，一般为左螺纹。在发生咬紧时，不可硬扳、要施加对称力矩以利于转动。在组装时，螺纹连接要涂耐热脂（红丹或二硫化铜）。

加热装置的紧固：塑化装置的加热常采用电热圈加热形式。虽然注射机在出厂或调整时已装紧，但在使用过程中因加热膨胀可能会松动，影响加热效果，因此需经常检查。

② 喷嘴。喷嘴通常是采用直通式的，主要是因其造成的流动阻力较小，使用的注射压力较低。要根据所加工塑料的品种来确定使用哪种形式的直通式喷嘴。需要杜绝"流涎"时，可用自锁式喷嘴。例如，立式注射机不用自锁式喷嘴很容易发生流涎，流涎塑料正好覆盖模具的进料口，影响生产的正常进行，精密立式注射机经常使用自锁式喷嘴。

（3）调节加料量及加料方式。

根据每模所需注射量调节定量加料装置，通常是调节预塑时螺杆后退的距离（用行程限位开关）。要求螺杆完成注射之后，其头部前端仍存留 10～20mm 厚度的余料，以供保压补缩之用，若余料留下过多，熔料在料筒里停留时间过长，则易发生变质，尤其对热敏性塑料更应注意。前面章节已述，在注射座的动作程序上有 3 种选择形式即固定加料、前加料和后加料，主要根据塑料性能、模具和注射成型工艺的要求来选择。

3．调整合模装置

（1）调整锁模力和模板行程。

液压—机械式合模装置是通过调节模板间距、改变曲肘机构合模时的弹性变形量，来调整锁模力大小。调整时将锁模力由小向大调节使曲肘伸直时，动作既不过快也不过慢。如果伸直得过快，则闭模力太小；过慢，则太紧。

液压式合模装置是通过调节合模油缸的油压来调整锁模力的。这种合模装置需要根据制品的具体情况，对模板开合的速度及速度变化的位置进行专门调节。在调节模板变速移动时，必须注意模具的最小厚度限定，严禁在无模状态下进行合模操作，防止合模油缸超程工作。

（2）调整顶出装置。

为满足模具脱模机构的顶出距离要求，对于液压式顶出装置，需要调整顶出活塞的动程、顶出力、顶次数和顶出时刻。而对于机械式顶出装置，则要通过试模来确定顶杆的固定位置。

4．调节注射机成型条件

（1）调节塑化参数。

料筒温度、螺杆转速、背压这 3 个参数的改变，都会影响注射装置的塑化能力。

螺杆背压大小一般由背压阀调定。增大背压，螺杆后退时间延长，即塑化时间延长，熔料密实，塑化完全。调节螺杆转速，物料在料筒里停留的时间和受剪切程度也随之改变。对热敏性或高粘度塑料，螺杆转速应降低。有时，为了在规定的冷却时间内塑化足够的塑料，以平衡生产周期，也采用调节螺杆转速的办法。料筒温度需根据成型制件要求，分区域地调节和设置。

（2）调节注射参数。

调节注射参数包括对注射压力、注射速度和注射时间 3 个参数的调节。现代注射机已发展为拥有多段注射压、保压压力和多段注射速度的控制功能，例如，中国香港生产的 UWP 系列大型精密注射机有 10 段注射压力和 10 段注射速度。各段注射压力由定时器控制切换，注射速度则靠螺杆前进的位置切换。

（3）调整设置注射机的循环时间。

注射机每成型一制件所经历的时间为一个工作循环，又称成型周期。成型周期由许多工作时间环节组成，它包括合模时间、注射时间、保压时间、冷却时间、开模时间以及其他一些辅助时间（如人工取件、清理模具、安装嵌件）。应在满足制件质量要求的前提下，尽量缩短成型周期，以提高生产效率、降低产品成本。通过试模，确定各个时间环节的合理长度，然后将合理的时间值设置于计时器中。

## 2.4.2　注射机的安全措施

注射机的安全措施包括人身、机器、模具等方面的安全保护内容。

1．人身安全保护

在操作注射机时，操作者必须树立安全意识。容易出现的事故有：在装模、试模、取出制件、安放嵌件时，被模具压伤；被注射料烧伤（特别在对空注射时）；被料筒烫伤；被合模机构挤伤等。压伤和挤伤事故造成的后果尤其严重。为此，注射机特设置了前、后安全门。安全门受电路或电—液系统联锁保护。关闭前、后安全门（压下保险开关）方能合模，否则合模机构处于静止状态。多人操作时，必须互相配合，防止喷嘴喷料伤人。

在机器的操作部位设置有紧急刹车按钮或安全踏板，以备紧急情况时使用。

2．注射机安全保护

注射机的安全一般由注射机本身的安全装置保证。例如，合模装置的曲肘运动部分应有防护罩。一般注射机还设有紧急停车按钮或安全踏板，以备紧急情况发生时迅速停车时用。

3．注射成型机电器和液压系统的安全保护

考虑到注射机有可能在非正常情况下执行工作而导致损坏，故在电器和液压系统中设置了必要的保护措施。有液压式合模装置防止超行程措施、螺杆防过载保护、防止冷启动保护、液压或摩擦离合器以及润滑系统的指示与报警、电路中的过电继电器和过热继电器、液压系统中的安全阀等。

由于注射机出现的大多数故障是因其电器和液压方面的问题所引起，因此，操作者除了必须严格按照操作规程进行操作外，还应做到经常性地检查、紧固和修复电器及液压元件。

4．模具的保护

模具一般都较精密，制造模具很费工时，在自动化生产中要充分注意模具的保护。目前较为广泛应用的是低压试合模保护法和光电保护法，它们主要是为了避免当模内还保留有制件或毛刺时，机器强行闭紧模具而压坏模具。

低压试合模保护是将合模压力分为二级控制，开始合模时用低压，合模力仅能推动模板，当模具完全合拢时，触动微动开关，合模油路系统便切换为高压，从而完成最终锁模。若模内或分型面上存有异物，或者模具零件发生变形而出现卡滞，油路低压系统无法克服阻力，模板终止移动，不碰触微动开关，则高压合模程序也就不能执行，并发出警报灯光或警报声音。光电保护是在模具分型面或者制件、流道凝料掉落的路径上，安装光电元件，如果模内或分型面上有异物，光电管就会发出信号使机器停止动作。

### 2.4.3　注射机的维护

注射机只有在维护良好的条件下，才能保持正常的工作和寿命。例如，对注射机的清洁程度、紧固部件的松紧程度、相对运动部件的润滑程度、温控部件的变化情况及其他运动、液压和电器部件的运行情况等要做定期检查。

1．每天检查的内容

（1）加热圈装置是否工作正常，热电偶是否接触良好。

（2）模具安装固定螺钉的情况。

（3）各电器开关，特别是安全门和紧急停车开关的情况。

（4）检查仪表，如压力表。

（5）冷却水循环供应情况。

（6）运动部件的润滑情况。

（7）油箱内的油量、油温。

（8）温度控制仪是否在零位。

2．定期检查的内容

（1）螺杆、料筒的磨损情况。

（2）油的质量及吸油、滤油装置的情况。

（3）电器元件的工作情况，接地是否可靠。

（4）工作油液的质量，若不合格应立即更换。

（5）油冷却器的工作情况。

（6）液压泵、电动机、液压马达等的工作情况。

# 思 考 题

1. 注射机由哪几部分组成? 各部分的作用如何?
2. 试述注射成型的循环过程。
3. 分析比较卧式注射机与立式注射机的优缺点和应用范围。
4. 注射机的基本参数有哪些? 它们的含义和对机器、制品的影响是什么?
5. 常见的注射机表示方法有几种? 怎样表示注射机的型号?
6. 简述柱塞式和螺杆式注射装置的零件组成和工作原理,并比较二者的优缺点。
7. 柱塞式注射装置的分流梭的作用是什么?
8. 注射螺杆有哪些基本形式? 它们的各自特点及适用场合?
9. 螺杆头有哪些形式? 如何选用?
10. 喷嘴有哪些类型和特点? 如何选用?
11. 对固定加料、前加料和后加料这 3 种预塑方式,应该如何选用?
12. 液压式合模装置的特点及类型? 各种类型的适用情况?
13. 试述液压—机械合模装置的工作原理、特点及调模装置的类型。
14. 使用注射机前,对注射机的调整内容有哪些?
15. 注射机设计时采用哪些安全保护措施?

# 第3章 通用压力机

## 3.1 概 述

### 3.1.1 通用压力机的工作原理及结构组成

通用压力机是冲压生产中最基本和应用最广泛的一种设备。它以曲柄滑块机构作为工作机构，利用传动系统把电动机的能量和运动传递给工作机构，通过滑块对模具施加压力，从而使毛坯产生塑性变形，可以完成板料的冲裁、弯曲、浅拉深和成型等工序。

通用压力机的类型较多，但其工作原理和结构组成是相同的。图 3-1 中的开式双柱可倾式压力机的工作原理如图 3-2 所示，其工作原理如下所述。

电动机的能量和运动通过小带轮 2、传动带、大带轮 3 传给传动轴，再通过小齿轮 4、大齿轮 5 传给曲轴 7，连杆 9 的上端套在曲轴 7 上，下端与滑块 10 铰接，曲柄的旋转运动通过连杆变为滑块的往复直线运动，将上模 11 安装在滑块上，下模 12 固定在工作台 14 的垫板 13 上，这样滑块带动上模对毛坯施加压力，完成冲压加工。

根据工艺操作的需要，滑块有时运动，有时停止，因此装有离合器 6 和制动器 8。压力机在整个工作周期内进行工艺操作的时间很短，即有负荷的工作时间很短，大部分时间为无负荷的空程运动。为了使电动机的负荷较均匀、有效地利用能量，因而装有飞轮，在该压力机上，大带轮 3 和大齿轮 5 均起飞轮的作用。

由上述工作原理可知，通用压力机一般由以下几个部分组成。

（1）工作机构：即曲柄滑块机构，由曲轴、连杆、滑块等零件组成，其作用是将曲柄的旋转转动转变为滑块的往复直线运动，由滑块带动模具工作。

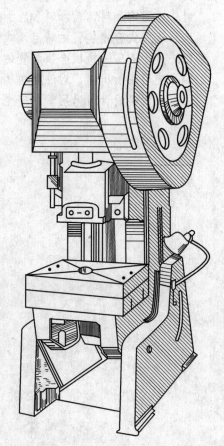

图 3-1　开式双柱可倾式压力机的外形图

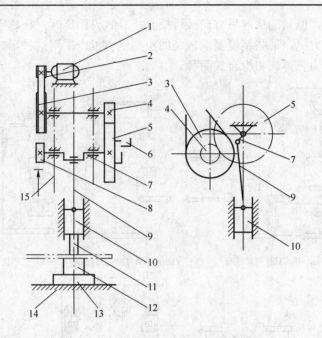

图 3-2　JB23-63 压力机的工作原理图

1—电动机；2—小带轮；3—大带轮；4—小齿轮；5—大齿轮；6—离合器；7—曲轴；8—制动器；

9—连杆；10—滑块；11—上模；12—下模；13—垫板；14—工作台；15—机身

（2）传动系统：包括带传动和齿轮传动等机构，起能量传递作用和速度转换作用。

（3）操纵系统：包括离合器、制动器等部件，用来控制工作机构的工作和停止。

（4）能源系统：包括电动机、飞轮等。电动机提供动力源，飞轮起储存和释放能量的作用。

（5）支承部件：如机身，连接固定所有零部件，保证它们的相对位置和工作关系，工作时承受所有的变形工艺力。

（6）辅助装置和附属系统：包括保护装置、滑块平衡装置、顶件装置、润滑系统、气路及电气控制系统等。

### 3.1.2　通用压力机的分类及型号

1. 通用压力机的分类

通用压力机常用的分类方法如下所述。

（1）按机身的结构形式分为开式压力机和闭式压力机，如图 3-3 所示。开式压力机的机身形呈"C"形，如图 3-3（a）、（b）、（c）所示。其机身 3 面敞开，操作空间大，但机身刚度差，受力后易产生角变形，影响精度。因此适用于中小型压力机。开式机身按背部有无开口分为双柱压力机和单柱压力机分别如图 3-3（a）、（b）所示。此外，开式压力机按照工作台的结构特点又可分为可倾台式压力机，如图 3-3（a）所示，固定台式压力机，如图 3-3（b）所示，升降台式压力机如图 3-3（c）所示。可倾式机身因后壁有一开口，机身向后倾斜时便于出料；升降台式的工作高度可以调节，便于调整装模空间的高低。

闭式压力机机身呈框架结构如图 3-3（d）、（e）所示，机身左右封闭、形状对称、刚度好、压力机精度高，但只能从前后方向接近模具，且装模距离远，操作不太方便。所以一般适用于大、中型压力机，某些精度要求较高的小型压力机也采用这种形式。闭式压力机按机身结构不同又可分为整体式和组合式两种。

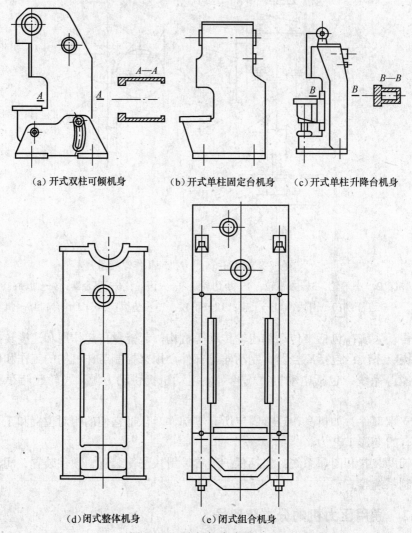

（a）开式双柱可倾机身　　（b）开式单柱固定台机身　　（c）开式单柱升降台机身

（d）闭式整体机身　　　　（e）闭式组合机身

图 3-3　压力机机身类型

（2）按压力机滑块的个数分为单动、双动和三动压力机，如图 3-4 所示。目前使用最多的是单动压力机，双动和三动压力机主要用于拉深工艺。

（3）按与滑块相连的连杆数分为单点、双点和四点压力机，如图 3-5 所示。曲柄连杆数的设置主要根据滑块面积的大小和使用目的而定。多点压力机抗偏载能力强，可冲制大型冲压件或在工作台上同时安装多套模具。

2．通用压力机的型号

按照锻压机械型号编制方法（JB/GQ2003—1984）的规定，通用压力机的型号由设备名称、结构特征、主参数等项目的代号组成，用汉语拼音字母、英文字母和数字表示，如JA31—160B，其各字母及数字的意义如图 3-6 所示。

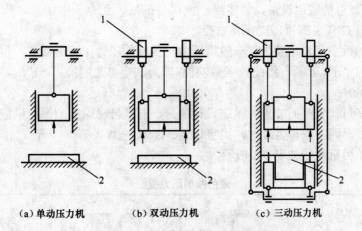

（a）单动压力机　　（b）双动压力机　　（c）三动压力机

图 3-4　压力机分类示意图一

1—凸轮；2—工作台

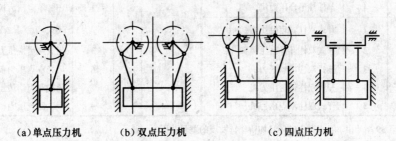

（a）单点压力机　　（b）双点压力机　　（c）四点压力机

图 3-5　压力机分类示意图二

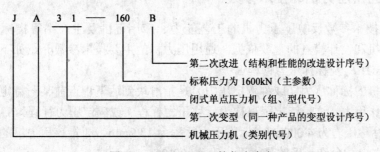

图 3-6　JA31—160B 的代表意义

型号的表示方法说明如下。

第一个字母是类代号，用汉语拼音字母表示。JB/GQ2003—1984 型谱有 8 类锻压设备，分别是机械压力机、线材成形自动机、锻机、剪切机、弯曲校正机、液压机、锤和其他，它们分别用"机""自""锻""切""弯""液""锤""他"的拼音的第一个字母表示为 J、Z、D、Q、W、Y、C、T。

第二个字母代表同一型号产品的变型设计序号。凡主参数与基本型号相同，但次要参数与基本型号不同的，称为变型。用字母 A、B、C…表示第一、第二、第三…次变型产品。

第三、第四个数字分别为组、型代号。前面一个数字代表"组"，后面一个数字代表"型"。在型谱表中，每类锻压设备分为 10 组，每组分为 10 型。查表 3-1 知，"31"代表"闭式单点压力机"。有些锻压设备，紧接组、型代号的后面还有一个字母，代表设备的通用特性，例如，字母 G 代表高速，K 代表数控。

横线后面的数字代表主参数。一般用压力机的标称压力作为主参数。型号中的标称压力用工程单位制的"tf"表示，将此数字乘以 10 即为法定单位制的"kN"，如上例的 160 代表 160tf，即 1 600kN。

最后一个字母代表产品的重大改进设计序号，凡型号已确定的锻压机械，结构和性能上与原产品有显著不同，则称为改进，用字母 A、B、C…代表第一、第二、第三…次改进。

通用曲柄压力机型号如表 3-1 所示。

表 3-1　　　　　　　　　　　通用曲柄压力机型号

| 组 | | 型号 | 名　称 | 组 | | 型号 | 名　称 |
| 特　征 | 号 | | | 特　征 | 号 | | |
|---|---|---|---|---|---|---|---|
| 开式单柱 | 1 | 1 | 单柱固定台压力机 | 开式双柱 | 2 | 8 | 开式柱形台压力机 |
| | | 2 | 单柱升降台压力机 | | | 9 | 开式底传动压力机 |
| | | 3 | 单柱柱形台压力机 | | | 1 | 闭式单点压力机 |
| 开式双柱 | 2 | 1 | 开式双柱固定台压力机 | | | 2 | 闭式单点切边压力机 |
| | | 2 | 开式双柱升降台压力机 | | | 3 | 闭式侧滑块压力机 |
| | | 3 | 开式双柱可倾压力机 | 闭　式 | 3 | 6 | 闭式双点压力机 |
| | | 4 | 开式双柱转台压力机 | | | 7 | 闭式双点切边压力机 |
| | | 5 | 开式双柱双点压力机 | | | 9 | 闭式四点压力机 |

说明：从 11 至 39 型号中，凡未列出的序号均留作待发展的型号使用。

### 3.1.3　通用压力机的技术参数

压力机的技术参数反映了压力机的工艺能力、应用范围及生产率等指标，同时也是选择、使用压力机和设计模具的重要依据。通用压力机的主要技术参数介绍如下。

1．标称压力 $F_g$ 及标称压力行程 $S_g$

通用压力机的标称压力（或称额定压力）是指滑块到达下止点前某一特定距离之内所允许承受的最大作用力，这一特定距离称为标称压力行程（或额定压力行程）$S_g$。例如，J31—400 压力机的标称压力为 4 000kN，标称压力行程为 13.2mm，即指该压力机的滑块在离下止点前 13.2mm 之内，允许承受的最大压力为 4 000kN。

标称压力是压力机的主参数。我国生产的压力机的标称压力已经系列化，例如 160kN、200kN、250kN、400kN、500kN、630kN、800kN、1 000kN、1 600kN、2 500kN、3 150kN 等。

2．滑块行程

如图 3-7 中的 S，它是指滑块从上止点到下止点所经过的距离，它是曲柄半径的二倍，或是偏心齿轮、偏心轴销偏心距的二倍。它的大小随工艺用途和标称压力的不同而不同，也反映压力机的工作范围。选用压力机时，应使滑块行程满足便于制件进出模具、操作方便的要求。

3．滑块行程次数 $n$

滑块行程次数 $n$ 是指滑块每分钟从上止点到下止点，然后再回到上止点的往复次数。行程次数越高，压力机能实现的生产率越高。滑块行程可以是单动或连续动作，在连续动作时，通常认为大于 30 次/min 时，人工送料就很难配合好，因此行程次数高的压力机只有安装自动送料装置才能充分发挥压力机的工作效能。

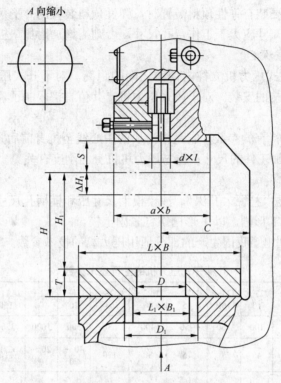

图 3-7 压力机基本参数

**4. 最大装模高度 $H_1$ 及装模高度调节量 $\Delta H_1$**

装模高度是指滑块在下止点时，滑块下表面到工作台垫板上表面的距离。当装模高度调节装置将滑块调整到最高位置时，装模高度达到最大值，称为最大装模高度（见图 3-7 中的 $H_1$）。滑块调整到最低位置时，得到最小装模高度。装模高度调节装置所能调节的距离，称为装模高度调节量（$\Delta H_1$）。有了装模高度调节量，就可以满足不同闭合高度模具安装的要求。模具闭合高度应该处于最小装模高度与最大装模高度之间。与装模高度并行的参数尚有封闭高度。所谓封闭高度是指滑块在下止点时，滑块下表面到工作台上表面的距离，它和装模高度之差等于工作台垫板的厚度。压力机装模高度尺寸表示允许安装模具的高度尺寸范围，是模具设计时考虑的重要工艺参数之一。

**5. 工作台面尺寸及滑块底面尺寸**

工作台面尺寸 $L \times B$ 和滑块底面尺寸 $a \times b$ 是与模架平面尺寸有关的尺寸，它们的大小直接影响所能安装模具的平面尺寸及模具的安装固定方法。通常对于闭式压力机，这两者尺寸大体相同，而开式压力机则 $(a \times b) < (L \times B)$。为了用压板对模座进行固定，这两者尺寸应比模座尺寸大出必要的加压板空间。对于小脱模力的模具，通常上模座只是用模柄固定到滑块上，则可不考虑加压板空间。如果直接用螺栓固定模座，虽不用留出加压板空间，但必须考虑工作台面及滑块底面上放螺栓的 T 形槽大小及分布位置。

**6. 工作台孔尺寸**

工作台孔尺寸 $L_1 \times B_1$（左右×前后）、$D_1$（直径）如图 3-7 所示，用作排除工件、废料或安装顶出装置的空间。当制件或废料漏料时，工作台或垫板孔（漏料孔）的尺寸应大于制件或废料尺寸。当模具需要装有弹性顶料装置时，弹性顶料装置的外形尺寸应小于工作台孔尺寸。模具下模板的外形尺寸应大于工作台孔尺寸，否则需增加附加垫板。

**7. 立柱间距 $A$ 和喉深 $C$**

立柱间距是指双柱式压力机立柱内切面之间的距离。对于开式压力机，其值主要关系到向后侧送料或出件机构的安装。对于闭式压力机，其值直接限制了模具和加工板料的最宽尺寸。

喉深是开式压力机特有的参数，它是指滑块的中心线至机身前后方向的距离，如图 3-7 中的 $C$。喉深直接限制加工件的尺寸，也与压力机机身的刚度有关。

**8. 模柄孔尺寸**

模柄孔尺寸 $d \times l$ 是"直径×孔深"，冲模模柄尺寸应和模柄孔尺寸相适应。大型压力机没有模柄孔，而是开设 T 形槽，以 T 形槽螺钉紧固上模。

表 3-2、表 3-3 中列出了我国生产的部分通用压力机的技术参数。

**表 3-2　　　　　　　　　　　　几种开式压力机的主要技术参数**

| 压力机型号 | | J23—3.15 | J23—6.3 | J23—10 | J23—16F | JH23—25 | JH23—40 | JC23—63 | J11—50 | J11—100 | JA11—150 | JH21—80 | JA21—160 | J21—400A |
|---|---|---|---|---|---|---|---|---|---|---|---|---|---|---|
| 公称压力/kN | | 3.15 | 63 | 100 | 160 | 250 | 400 | 630 | 500 | 1000 | 2500 | 800 | 1600 | 4000 |
| 滑块行程/mm | | 25 | 35 | 45 | 70 | 75 | 80 | 120 | 10~90 | 20~100 | 120 | 160 | 160 | 200 |
| 滑块行程次数/（次/分） | | 200 | 170 | 145 | 120 | 80 | 55 | 50 | 90 | 65 | 37 | 40~75 | 40 | 25 |
| 最大封闭高度/mm | | 120 | 150 | 180 | 205 | 260 | 330 | 360 | 270 | 420 | 450 | 320 | 450 | 550 |
| 封闭高度调节量/mm | | 25 | 35 | 35 | 45 | 55 | 65 | 80 | 75 | 85 | 80 | 80 | 130 | 150 |
| 立柱间距离/mm | | 120 | 150 | 180 | 220 | | | 350 | | | | | 530 | 896 |
| 喉深/mm | | 90 | 110 | 130 | 160 | 200 | 250 | 260 | 235 | 340 | 325 | 310 | 380 | 480 |
| 工作台尺寸/mm | 前后 | 160 | 200 | 240 | 300 | 370 | 460 | 480 | 450 | 600 | 630 | 600 | 710 | 900 |
| | 左右 | 250 | 310 | 370 | 450 | 560 | 700 | 710 | 650 | 800 | 1100 | 950 | 1120 | 1400 |
| 垫板尺寸/mm | 厚度 | 30 | 30 | 35 | 40 | | | 90 | 80 | 100 | 150 | | 130 | 170 |
| | 孔径 | $\phi100$ | $\phi140$ | $\phi170$ | $\phi210$ | | | $\phi250$ | $\phi130$ | $\phi160$ | | | | $\phi300$ |
| 模柄孔尺寸/mm | 直径 | $\phi25$ | $\phi30$ | $\phi30$ | $\phi40$ | $\phi40$ | $\phi50$ | $\phi50$ | $\phi50$ | $\phi60$ | $\phi70$ | $\phi50$ | $\phi70$ | $\phi100$ |
| | 深度 | 40 | 55 | 55 | 60 | 60 | 70 | 80 | 80 | 80 | 90 | 60 | 80 | 120 |
| 最大倾斜角/° | | 45° | 45° | 35° | 35° | 30° | 30° | 30° | | | | | | |
| 电动机功率/kW | | 0.55 | 0.75 | 1.1 | 1.5 | 2.2 | 5.5 | 5.5 | 5.5 | 7 | 18.1 | 7.5 | 11.1 | 32.2 |
| 备　注 | | | | | | 需压缩空气 | 需压缩空气 | | | | | 需压缩空气 | | |

**表 3-3** 　　　　　几种闭式压力机的主要技术参数

| 压力机型号 | | J31—100 | JA31—160B | J31—250 | J31—315 | J31—400 | JA31—630 | J31—800 | J31—1250 | J36—160 | J36—250 | J36—400 | J36—630 |
|---|---|---|---|---|---|---|---|---|---|---|---|---|---|
| 公称压力/kN | | 1000 | 1600 | 2500 | 3150 | 4000 | 6300 | 8000 | 12500 | 1600 | 2500 | 4000 | 6300 |
| 公称压力行程/mm | | | 8.16 | 10.4 | 10.5 | 13.2 | 13 | 13 | 13 | 10.8 | 11 | 13.7 | 26 |
| 滑块行程/mm | | 165 | 160 | 315 | 315 | 400 | 400 | 500 | 500 | 315 | 400 | 400 | 500 |
| 滑块行程次数/（次/分） | | 35 | 32 | 20 | 20 | 16 | 12 | 10 | 10 | 20 | 17 | 16 | 9 |
| 最大装模高度/mm | | 445 | 375 | 490 | 490 | 710 | 700 | 700 | 830 | 670 | 590 | 730 | 810 |
| 装模高度调节量/mm | | 100 | 120 | 200 | 200 | 250 | 250 | 315 | 250 | 250 | 150 | 315 | 340 |
| 导轨间距离/mm | | 405 | 590 | 900 | 930 | | 1480 | 1680 | 1520 | 1840 | 2640 | 2640 | 3270 |
| 退料杆行程/mm | | | | 150 | | 150 | | | | | | | |
| 工作台尺寸/mm | 前后 | 620 | 790 | 950 | 1100 | 1200 | 1500 | 1600 | 1900 | 1250 | 1250 | 1600 | 1500 |
| | 左右 | 620 | 710 | 1000 | 1100 | 1250 | 1700 | 1900 | 1800 | 2000 | 2780 | 2780 | 3450 |
| 滑块底面尺寸/mm | 前后 | 300 | 560 | 850 | 960 | 1400 | 1500 | 1500 | 1560 | 1050 | 1000 | 1250 | 1270 |
| | 左右 | 360 | | 980 | 910 | 1230 | | | | | 1980 | 2540 | 2550 | 3200 |
| 工作台孔尺寸/mm | | φ250 | 430×430 | | | 620×620 | | | | | | | |
| 垫板厚度/mm | | 125 | 105 | 140 | 140 | 160 | | | | | 160 | 185 | 190 |
| 模柄孔尺寸/mm | 直径 | φ65 | φ75 | | | | | | | | | | |
| | 深度 | 120 | | | | | | | | | | | |
| 备注 | | | 需压缩空气 | 需压缩空气 | 需压缩空气 | 备气垫 | 备气垫 | 备气垫 | 备气垫 | 备气垫 | 备气垫 | 备气垫 | 备气垫 |

# 3.2　曲柄滑块机构

## 3.2.1　曲柄滑块机构的运动分析和许用负荷曲线

1. 曲柄滑块机构的运动分析

图 3-8 所示为曲柄滑块机构的运动简图。根据滑块与连杆的连结点 $B$ 的运动轨迹是否位于曲柄旋转中心 $O$ 和连结点 $B$ 的连线上，将曲柄滑块机构分为结点正置，如图 3-8（a）所示，以及结点偏置两种，而结点偏置又有正偏置和负偏置之分。当结点 $B$ 的运动轨迹偏离 $OB$ 连线位于曲柄上行侧时，称为结点正偏置，如图 3-8（b）所示；当结点 $B$ 的运动轨迹偏离 $OB$ 连线位于曲柄下行侧时，称为结点负偏置，如图 3-8（c）所示。它们的受力状态和运动特性是有差异的，结点偏置机构主要用于改善压力机的受力状态和运动特性，从而适应工艺要求。例如，负偏置机构，滑块有急回特性，其工作行程速度较小，回程速度较大，有利

于冷挤压工艺，常在冷挤压机中采用。正偏置机构，滑块有急进特性，常在平锻机中采用。下面讨论常见的结点正置的曲柄滑块机构的运动规律。

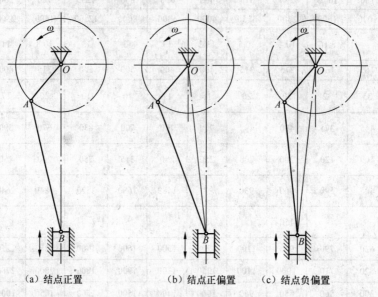

（a）结点正置　　　　　　（b）结点正偏置　　（c）结点负偏置

图 3-8　曲柄滑块机构的运动简图

当曲柄以角速度 $\omega$ 等速转动时，滑块的位移 $S$、速度 $\upsilon$、加速度 $\alpha$ 是随曲柄转角 $\alpha$ 的变化而改变的。由图 3-9 所示的几何关系，可导出滑块位移 $S$ 与曲柄转角 $\alpha$ 之间的关系，图中：

$$OB = OC + CB = R\cos\alpha + \sqrt{L^2 - (R\sin\alpha)^2} = R\cos\alpha + L\sqrt{1 - \left(\frac{R\sin\alpha}{L^2}\right)^2} \tag{3-1}$$

$$S = R + L - B \tag{3-2}$$

将式（3-1）代入式（3-2）并整理得

$$S = R(1 - \cos\alpha) + L\left[1 - \sqrt{1 - \left(\frac{R\sin\alpha}{L}\right)^2}\right] \tag{3-3}$$

对于通用压力机，$R/L$ 一般在 $0.1\sim0.2$ 范围内，这时式（3-3）中根号部分可作如下近似：

$$\sqrt{L - \left(\frac{R\sin\alpha}{L}\right)^2} \approx 1 - \frac{1}{2}\left(\frac{R\sin\alpha}{L}\right)^2$$

所以，式（3-3）变为

$$S = R\left(1 - \cos\alpha + \frac{R}{2L}\sin^2\alpha\right) \tag{3-4}$$

式中：$S$——滑块位移，从下止点算起，向上方向为正；$\alpha$——曲柄转角，从下止点算起，与曲柄旋转方向相反为正，以下相同；$R$——曲柄半径；$L$——连杆长度（当连杆长度可调时，取最短时数值）。

将式（3-4）对时间求导，可得到滑块的速度公式为

$$\upsilon = \omega R\left(\sin\alpha + \frac{R}{2L}\sin 2\alpha\right) \tag{3-5}$$

式中：$\upsilon$——滑块速度，向下方向为正；$\omega$——曲柄角速度，$\omega = \dfrac{2\pi n}{60}$，弧度 $\mathrm{s}^{-1}$；$n$——曲柄转速，即滑块行程次数，次·$\mathrm{min}^{-1}$；$L$——连杆长度（当连杆长度可调时，取最短时数值）；其余符号同式（3-4）。

将式（3-5）对时间求导，可得到滑块的加速度公式为

$$a = -\omega^2 R\left(\cos\alpha + \frac{R}{L}\cos 2\alpha\right) \tag{3-6}$$

式中：$a$——滑块加速度，向下方向为正，$\mathrm{m/s}^2$；其余符号同式（3-4）和式（3-5）。

式（3-6）中前边的负号是因为坐标的关系而加上去的。

根据式（3-4）、式（3-5）、式（3-6）做出滑块的位移 $S$、速度 $\upsilon$、加速度 $a$ 随曲柄转角 $\alpha$ 变化的曲线，称为曲柄滑块机构的运动线图，如图 3-10 所示，它可以清楚地表明曲柄滑块机构的运动规律。由图可以看出，尽管曲柄作匀速转动，但滑块在其行程中各点的运动速度是不相同的。滑块在上止点（$\alpha = 180°$）和下止点（$\alpha = 0°$）时，其运动速度为零，即 $\upsilon = 0$；而滑块在行程中点（$\alpha = 75° \sim 90°$ 和 $\alpha = 270° \sim 285°$）时，其运动速度为最大，近似取 $\alpha = 90°$ 和 $\alpha = 270°$ 时的滑块速度，作为滑块的最大速度 $\upsilon_{max}$，则由式（3-5）可得：

$$\upsilon_{max} = \pm\omega R = \pm\frac{2\pi nR}{60} = \pm\frac{\pi nS}{60} \tag{3-7}$$

上式表明滑块的最大速度约等于连杆与曲柄的连接点（即 $A$ 点）的线速度，并与滑块行程次数和滑块行程的乘积成正比。

研究滑块的运动是因为滑块的速度与冲压工艺有关。例如，滑块运动速度高，可以提高普通冲裁件的断面质量，但对拉深工艺就不利，会引起拉深件的破裂。另外坯件材料不同，拉深时所允许的压力机滑块速度也不同。目前国产通用压力机滑块的最大速度为 $0.135 \sim 0.435\mathrm{m/s}$。为了提高生产率，压力机滑块速度有提高的趋势。

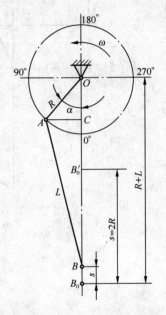

图 3-9　结点正置的曲柄滑块

**2．滑块许用负荷曲线**

滑块从强度的观点来看，作用在滑块上的允许工作压力[F]列是随着曲柄转角 $\alpha$ 而改变的，如图 3-11 所示。为了不使压力机超载，规定了曲柄压力机滑块许用负荷图，它表明某台压力机，在满足强度要求的前提下，滑块允许承受的载荷与行程 $S$（或曲柄转角 $\alpha$）之间的关系。实际上，曲柄压力机的许用负荷图是综合考虑曲柄支承颈扭曲强度限制、曲柄颈弯曲强度（或弯扭联合）限制及齿轮弯曲强度和齿面接触强度限制等而制定出来的。图 3-12 所示为曲柄压力机典型的许用负荷图。使用压力机时要注意曲柄的工作角度，应使工作压力落在安全区内，以保证曲柄及齿轮不致造成强度破坏。

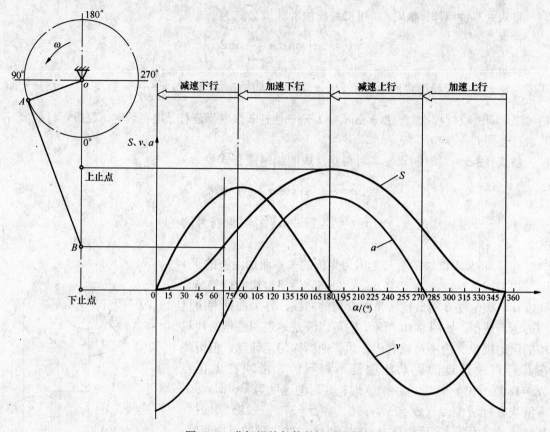

图 3-10　曲柄滑块机构的运动线图

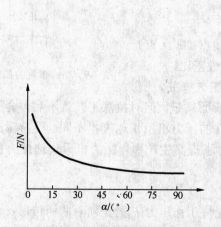

图 3-11　受曲轴扭曲强度限制的滑块许用工作压力

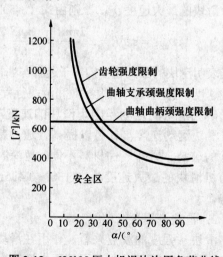

图 3-12　630kN 压力机滑块许用负荷曲线

### 3.2.2　曲柄滑块机构的结构

常见的曲柄滑块机构的驱动形式如图 3-13 所示。

1. 曲轴驱动的曲柄滑块机构

图 3-14 所示为曲轴驱动的曲柄滑块机构结构图，它主要由曲轴 9、连杆（连杆体 7 和调

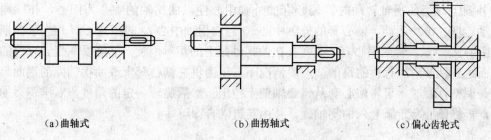

（a）曲轴式            （b）曲拐轴式           （c）偏心齿轮式

图 3-13    曲柄滑块机构的驱动形式

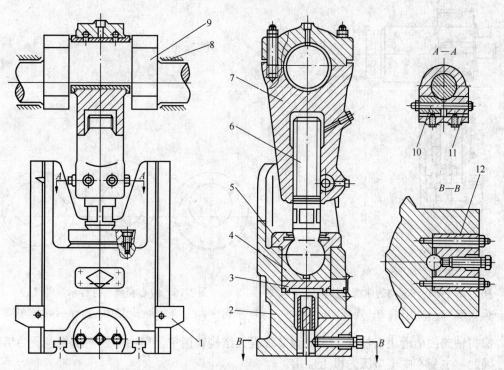

图 3-14    JC23—63 压力机的曲柄滑块机构结构图

1—打料横杆；2—滑块；3—压塌块；4—支承座；5—盖板；6—调节螺杆；7—连杆体；
8—轴瓦；9—曲轴；10—锁紧螺钉；11—锁紧块；12—模具夹持块

节螺杆 6）和滑块 2 组成。曲轴旋转时，连杆作摆动和上、下运动，使滑块在导轨中作上、下往复直线运动。

    曲轴式结构可以设计成较大的曲柄半径，但曲柄半径一般是固定的，故滑块行程也不可调节。作为压力机的主要零件之一，曲轴的工作条件比较复杂，在工作中，既受弯矩又受扭矩，而且所受的力是不断变化的。所以，加工技术要求较高，又由于大型曲轴锻造困难，因此，曲轴式的曲柄滑块机构在大型压力机上的应用受到限制。

    **2．曲拐轴驱动的曲柄滑块机构**

    图 3-15 所示为曲拐轴驱动的曲柄滑块机构结构图，其示意图如图 3-13（b）所示，它主要由曲拐轴 2、偏心套 1、连杆 3 和滑块 4 组成。偏心套 1 装在曲拐轴颈上，而连杆套装在偏

心套的外圆上。当曲拐轴转动时，偏心套的外圆中心便以曲拐轴的中心为圆心，作圆周运动，带动连杆、滑块运动。偏心套的外圆中心 $M$ 与曲拐轴中心 $O$ 的距离 $OM$ 相当于曲柄半径，如图 3-16 所示。转动偏心套，改变其在曲拐轴颈上的相对位置，便可以改变 $OM$ 值的大小，从而达到调节滑块行程的目的。一般情况下，压力机在偏心套上或曲拐轴颈的端面刻有刻度值。调整行程时，可将偏心套从偏心轴销上拉出，然后旋转一定的角度，对准需要的行程刻度，再将偏心套重新套入曲拐轴颈，并由花键啮合即可。

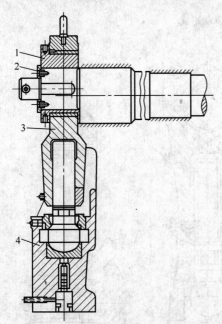

图 3-15　曲拐轴驱动的曲柄滑块机构

1—偏心套；2—曲拐轴；3—连杆；4—滑块

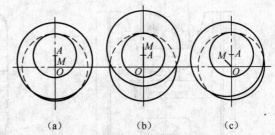

图 3-16　偏心套调节行程示意图

$O$—曲拐轴中心；$A$—偏心轴销中心；$M$—偏心套外圆中心

曲拐轴式曲柄滑块机构便于实现调节行程且结构较简单，但由于曲柄悬伸，受力情况较差，因此，主要在中小型压力机上应用。

3. 偏心齿轮驱动的曲柄滑块机构

如图 3-17 所示为偏心齿轮驱动的曲柄滑块机构结构图，其示意图如图 3-13（c）所示，它主要由偏心齿轮 7、芯轴 8、调节螺杆 2、连杆体 1 和滑块 3 组成。偏心齿轮的偏心颈相对于芯轴有一偏心距，相当于曲柄半径。芯轴两端紧固在机身上，连杆套在偏心颈上。偏心齿轮在芯轴上旋转时，其偏心颈就相当于曲柄在旋转，从而带动连杆使滑块上下运动。

偏心齿轮工作时只传递扭矩，弯矩由芯轴承受，因此偏心齿轮的受力比曲轴简单，芯轴只承受弯矩，受力情况也比曲轴好，且刚度较大。此外，偏心齿轮的铸造比曲轴锻造容易解决，但总体结构相对复杂些。所以，偏心齿轮驱动的曲柄滑块机构常用于大中型压力机。

曲轴一般用 45 钢锻制而成。有些中大型压力机的曲轴用合金钢锻制，如 40Cr、37Si、Mn2MoV、18crMnMoB 等。有些小型压力机的曲轴则用球墨铸铁 QT500—7 铸造。锻制的曲轴加工后应进行调质处理。

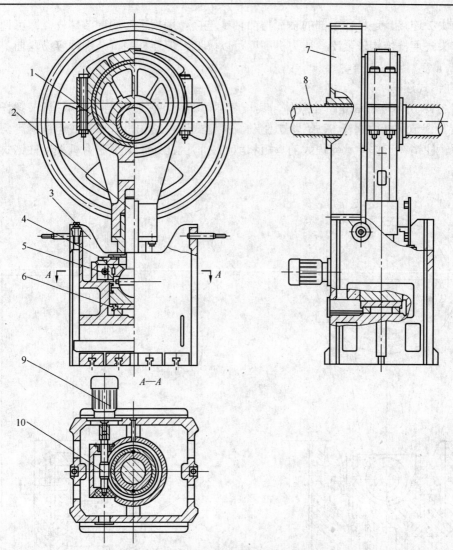

图 3-17　偏心齿轮驱动的曲柄滑块机构

1—连杆体；2—调节螺杆；3—滑块；4—拨块；5—蜗轮；6—压塌块；7—偏心齿轮；

8—芯轴；9—电动机；10—蜗杆

### 3.2.3　连杆及装模高度调节机构

连杆是曲柄滑块机构中的重要构件，连杆将曲柄和滑块连接起来，并通过其运动将曲柄的旋转运动转变为滑块的直线往复运动，在这个过程中，连杆相对于曲柄转动而相对于滑块摆动。因此，连杆和曲柄及滑块都必须是铰接。而滑块工作时所承受的总负载必须通过连杆传递给曲柄。所以，连杆与曲柄、滑块的活动连接就成了曲柄滑块机构中的一个关键环节，也成为连杆结构的特征。

随着技术的进步，连杆的结构形式也有所发展，这里介绍几种连杆结构形式。

1. 球头式连杆

图 3-14 所示连杆不是一个整体，而是由连杆体 7 和调节螺杆 6 所组成。调节螺杆下部的

球头与滑块 2 连接，连杆体上部的轴瓦与曲轴 9 连接。用扳手转动调节螺杆，即可调节连杆长度。球头式连杆结构较紧凑，压力机高度可以降低，但连杆的调节螺杆容易弯曲，球头加工较困难。

2. 柱销式连杆

如图 3-18 所示连杆 3 是一个整体，其长度不可调节，它通过连杆销 4、调节螺杆 2 与滑块 6 连接。调节螺杆由蜗杆 5、蜗轮 7 驱动。柱销式连杆结构没有球头式连杆紧凑，但其加工较容易。柱销在工作中承受很大的弯矩和剪切力，因此对于大型压力机采用柱销式结构不太合理。

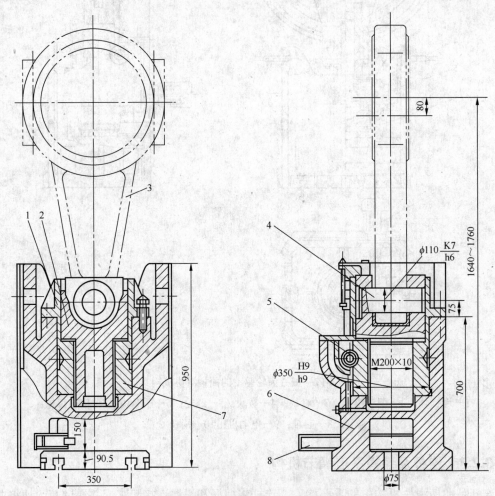

图 3-18  JA31—160A 连杆及装模高度调节装置

1—导套；2—调节螺杆；3—连杆；4—连杆销；5—蜗杆；

6—滑块；7—蜗轮；8—顶料杆

3. 柱面式连杆

如图 3-19 所示，柱面式连杆结构是针对柱销式连杆的缺点改进设计的，其销子与连杆孔有间隙。工作行程时，连杆端部柱面与滑块接融，传递载荷；销子只在回程时承受滑块的重量和脱模力，大大减轻了销子的负荷。因此销子的直径可以大大减小，但增加了柱面加工的困难。

**4．三点传力的柱销式连杆**

如图 3-20 所示，这种结构形式，在调节螺杆与柱销配合面上多了一个中间支点，而与柱销配合的连杆轴瓦的主要承力面（上面）没有减少。这样工作载荷通过 3 个支点传给柱销，再传给连杆，销子的弯矩和剪切力大大减小。三点传力的柱销式连杆既保持了柱销式连杆加工容易的优点，又解决了柱销受力状态恶劣的问题，便于在中大型压力机上应用。

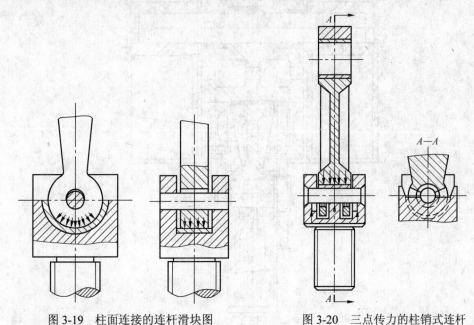

图 3-19　柱面连接的连杆滑块图　　　　图 3-20　三点传力的柱销式连杆

**5．柱塞导向连杆**

如图 3-21 所示，连杆不是直接与滑块连接，而是通过一个导向柱塞 5 及调节螺杆 6 与滑块连接。这样，偏心齿轮可以被密封在机身的上梁中，浸在油中润滑，减少齿轮的磨损、降低传动噪声。此外，导向柱塞在导向套筒 4 内滑动，相当于加长了滑块的导向长度，提高了压力机的运动精度。因此，在大中型压力机中得到广泛应用，但其加工和安装比较复杂，同时压力机高度有所增加。

连杆常用铸钢 ZG270—500 和铸铁 HT200 铸造。球头式连杆中的调节螺杆常用 45 钢锻造、调质处理，球头表面淬火，硬度为 42HRC。柱销式连杆中调节螺杆因不受弯矩，故一般用球墨铸铁 QT500—5、QT500—7 或灰铸铁 HT200 制造即可。

为适应不同闭合高度的模具，一般压力机都可以通过连杆长度的调节或连杆与滑块连接件的调节，来调整滑块的上下位置，以达到调整装模高度的目的。调节方式分为手动调节和机动调节两种。手动调节适用于小型压力机，在大、中型压力机中采用机动调节。

图 3-14 是手动调节装模高度的方式。调节螺杆的螺纹与球头之间为六方形，调节时用扳手搬动 6 方部位，使其从连杆体中旋入或旋出，就改变了连杆的长度，也就改变了滑块的位置，从而达到调节压力机封闭高度（装模高度）的目的。当装模高度调好后，通过锁紧螺钉 10、锁紧块 11 锁紧调节螺杆，以保证压力机工作时不松动，确保装模高度不变。手动调节方式只适用于小型压力机。

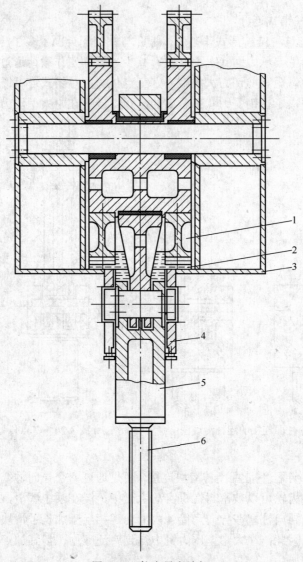

图 3-21　柱塞导向连杆

1—偏心齿轮；2—润滑油；3—上横梁；4—导向套筒；

5—导向柱塞；6—调节螺杆

　　图 3-17 所示为机动调节装模高度方式。在调节螺杆球头的侧面有两个销子，拨块 4 上的两个叉口插在销子上。调节时，电动机 9 驱动蜗杆 10、蜗轮 5 旋转时，蜗轮便带动拨块旋转，拨块则通过两个销子带动调节螺杆转动，即可调节装模高度。由于大中型压力机滑块、上模重量和行程调节量较大，手动调节费时费工，因此，在大中型压力机中采用机动调节。

　　压力机装模高度的调节精度和调节速度有关，调节速度越快调节精度越低。在模具试模时，滑块应该以较低的速度下降或微动。手动调节既不安全又费力，机动调节动作灵活，滑块运动又快。现在有些压力机设有微动调节机构，以满足试模的需要，对于大中型压力机，还设有滑块平衡装置，规定平衡装置充气后才允许调节调模高度。

### 3.2.4　滑块与导轨

**1. 滑块**

压力机上的滑块是一个箱形结构，它的上部与连杆连接，下面开有 "T" 型槽（见图 3-14）或模柄孔（见图 3-15）用以安装模具的上模。滑块在曲柄连杆的驱动下，沿机身导轨上下往复运动，并直接承受上模传来的工艺反力。滑块对压力机的运动情况和工作精度有直接影响，因此，对滑块的加工精度、滑块材料、强度和刚度都有一定的要求，对滑块使用时的偏载大小有一定限制，尤其是宽台面压力机、双点压力机和四点压力机。

为保证滑块底平面和工作台上平面的平行度，保证滑块运动方向与工作台面的垂直度，滑块的导向面必须与底平面垂直。为保证滑块的运动精度，滑块的导向面应尽量长，因而滑块的高度要足够高，滑块高度与宽度的比值在闭式单点压力机上为 1.08～1.32，在开式压力机上则高达 1.7 左右。

滑块还应有足够的强度，小型压力机的滑块常用灰铸铁 HT200 铸造，中型压力机的滑块常用灰铸铁 HT200 或稀土球铁铸造，或用 Q235 钢板焊接而成，大型压力机的滑块一般用 Q235 钢板焊成，焊后进行退火处理。导轨滑动面的材料一般用灰铸铁 HT200 制造。速度高、偏心载荷大的则用铸造青铜 ZCuSn6Zn6Pb3 或铸造黄铜 ZCuZn38Mn2Pb2 制造。

导轨和滑块的导向面应保持一定的间隙，间隙大了无法保证滑块的运动精度，影响上下模对中，承受偏心载荷时滑块会产生较大的偏转；间隙太小润滑条件差，摩擦阻力大，会加剧磨损，降低传动效率，增加能量损失。因此，导向间隙必须是可调的，也便于导轨滑块的导向面磨损后，能调整间隙。

**2. 导轨**

除了增大导向长度来保证滑块的运动精度外，导轨的形式也是影响滑块运动精度的一个重要因素。常见的导轨形式如图 3-22～图 3-26 所示。

图 3-22 所示为对称布置的 V 型导轨，通过调节螺栓 1 可使左导轨左右移动来调节滑块与导轨的间隙，确保滑块在一定的间隙内运动，这种结构一般用在开式压力机上。

图 3-23 所示为矩形导轨是开式压力机上较理想的形式，其导向精度高，而且摩擦损失小，只是间隙调整比 V 型导轨难些。目前，国内外高性能压力机均采用这一形式。

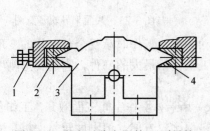

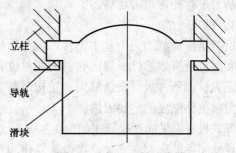

图 3-22　左右对称布置的 V 型导轨　　　　图 3-23　矩形导轨示意图

1—调节螺栓；2—左导轨；3—滑块；4—右导轨

图 3-24 所示为四面斜导轨，目前大多数闭式压力机经常采用这种结构。其 4 个导轨均可通过各自的一组推拉螺钉进行单独调整，因而能提高滑块的运动精度，但调节困难。有些压

力机的导轨做成两个固定的、两个可调的，并使固定的导轨承受滑块侧向力，调节较容易，但精度受到一定影响。

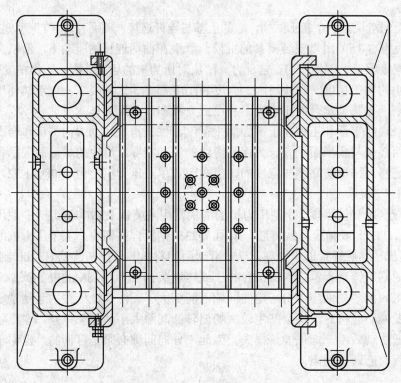

图 3-24  J31—315 滑块—导轨图

图 3-25 和图 3-26 所示为八面平导轨，8 个导轨面可以单独调节，每个调节面都有一组推拉螺钉。这种结构导向精度既高，调节又方便。目前，在大中型压力机上得到广泛应用。此外，高速压力机滑块导向还有利用滚针加预压负载的结构，消除间隙，从而进行高速精密运转。

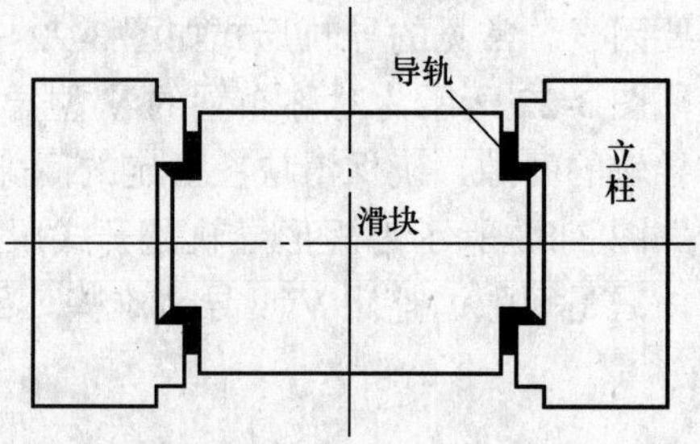

3．机身

机身是压力机的一个基本部件。机身的作用是连接和固定所有零部件，保证它们的相对位置和运动关系，工作时承受全部工作的变形力。它是压力机上所占重量比例最大、结构最复杂、加工工作量最大的部件，它的变形刚度是决定压力机整体刚度的重要因素。

图 3-25  八面平导轨示意图

开式机身常见的结构形式如图 3-3（a）、（b）、（c）所示，操作空间三面敞开，工作台面积不受导轨间距的限制，安装、调整、操作和自动送料都比较方便。但刚度较差，机身受力时产生角变形；上下模具不能很好对中，会加剧模具的磨损和影响冲压零件质量。图 3-27 和图 3-28 所示为开式压力机的弹性变形情况及对冲模的影响，可见开式压力机受力作用时，会出现纵向变形 $\Delta h$，使压力机的装模高度变大，同时还会使滑块相对于工作台产生倾斜角 $\Delta \alpha$，使冲头和凹模间的间隙不均匀，产生水平方向的侧压力，会加速冲头的磨损甚至折断。一般来

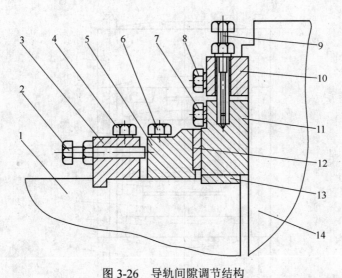

图 3-26　导轨间隙调节结构

1—滑块；2、9—推拉螺钉组；3、10—固定挡块；4、6、7、8—固定螺钉组；

5—调整块；11—导轨；12、13—导向面镶条；14—机身立柱

说，开式压力机上对模具危害最大的是角变形的
存在。因此，开式机身的形式只能用于小吨位压
力机。

　　闭式机身常见结构形式如图 3-3（d）、（e）所
示。闭式机身形成一个对称的封闭框架，受力后只
存在机身纵向变形问题（见图 3-29），不会产生角
变形，刚度比开式机身好，广泛应用于大中型压力
机，操作时只能从前后两面工作。整体式机身，如
图 3-3（d）所示，加工装配的工作量较少，但需要
大型加工设备，运输也比较困难。组合式机身，如
图 3-3（e）所示，是由上横梁、立柱、底座和拉紧
螺栓组合而成，可以将机身分成几部分加工和运输，
用 2 根或 4 根拉紧螺栓把它们连接起来，并进行预
紧。因此，组合机身的加工和运输比较方便，在大
中型压力机上得到广泛应用。

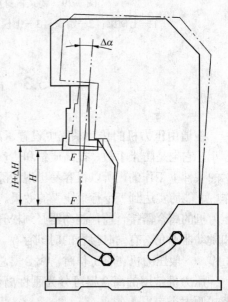

图 3-27　开式机身压力机的弹性变形

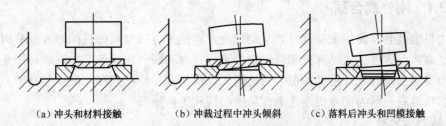

（a）冲头和材料接触　　　　（b）冲裁过程中冲头倾斜　　　　（c）落料后冲头和凹模接触

图 3-28　压力机角变形对模具的影响

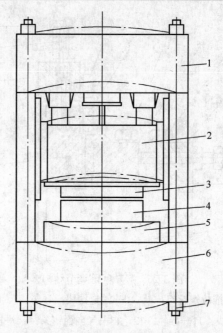

图 3-29  闭式机身压力机中滑块及工作台的弹性变形
1—上横梁；2—滑块；3—上模；4—下模；5—垫板；6—底座；7—紧固螺母

## 3.3  离合器和制动器

在通用压力机的传动系统中设置了离合器和制动器，用来控制压力机工作机构的运动和停止，它也是防止事故、提高质量和生产率的重要部件。压力机的离合器、制动器是在非常恶劣的条件下工作的，所以很容易出现故障，影响生产的正常进行。两者必须密切配合和协调工作，才能切实达到"令行禁止"的效果。除了少数小型压力机的制动器是在经常作用外，多数压力机的离合器接合前，制动器必须松开；制动器制动前，离合器必须脱开。也就是说离合器和制动器不允许有同时接合的时刻存在。否则将引起摩擦元件严重发热和磨损，甚至无法继续工作。一般压力机在不工作时，离合器总是处于脱开状态，而制动器则总是处在制动状态。

压力机常用的离合器可分为刚性离台器和摩擦离合器两大类；常用的制动器有圆盘式和带式两大类。

### 3.3.1  刚性离合器

压力机的离合器是由主动部分、从动部分、连接零件以及操纵机构等 4 部分组成。刚性离合器是靠接合零件把主动部分和从动部分刚性接合和脱开来实现曲轴运动和停止的装置。这类离合器根据接合零件的结构可分为转键式、滑销式、滚柱式和牙嵌式等几种。下面以用得最多的转键离合器为例介绍刚性离合器的结构和工作原理。

#### 1．转键离合器

转键离合器按转键的数目可分为单转键式和双转键式两种。按转键的形状可分为半圆形转键离合器和矩形转键离合器，后者又称为切向转键离合器。

图 3-30 所示为半圆形双转键离合器，它的主动部分包括大齿轮 1、中套 5 和两个滑动轴承 2 和 6 等；从动部分包括曲轴 4、内套 3 和外套 8 等；接合件是两个转键（一个工作键 12 也叫主键；一个副键 10）；操纵机构由关闭器 16 等组成（见图 3-30C—C 剖面，详细结构如图 3-34 所示）。

双转键离合器工作部分的构成关系如图 3-31 所示，中套 5 装在大齿轮内孔中部，用平键与大齿轮连接，跟随大齿轮转动。内套 4 和外套 6 分别用平键与曲轴 2 连接。内、外套的内孔上各加工出两个缺月形的槽，而曲轴的右端加工出两个半月形的槽，两者组成两个圆孔，主键 7 和副键 9 便装在这两个圆孔中，并可在圆孔中转动。转键的中部（与中套相对应的部分）加工成与曲轴上的半月形槽一致的半月形的截面，当这两个半月形轮廓重合时，与曲轴的外圆组成一个完整的圆，这样中套便可与大齿轮一起自由转动，不带动曲轴，即离合器分离，如图 3-30D—D 剖面的左图所示。中套内孔开有四个缺月形的槽，当转键的半月形截面转入中套缺月形的槽内时，如图 3-39D—D 剖面的右图所示，则大齿轮带动曲轴一起转动，即离合器接合。

主键的转动是靠关闭器 16 和弹簧 14 对尾板 15 的作用来实现的（见图 3-30C—C 剖面）。尾板与主键连接在一起（见图 3-31），当需要离合器接合时，使关闭器 16 转动，让开尾板 15，尾板连同工作键在弹簧 14 的作用下，有向反时针旋转的趋势。只要中套上的缺月形槽转至与曲轴上的半月形槽对正，弹簧便立即将尾板拉至图示虚线位置（见图 3-30C—C 剖面），主键则向反时针方向转过一个角度，镶入中套的槽中，如图 3-30D—D 剖面右图所示，曲轴便跟随大齿轮向反时针方向旋转。与此同时，副键顺时针转动，镶入中套的另一槽中。如果想使滑块停止运动，可将关闭器 16 转动一角度，挡住尾板，而曲轴继续旋转。由于相对运动，转键转至分离位置，如图 3-30D—D 剖面左图所示，大齿轮空转，装在曲轴另一端的制动器把曲轴制动。

副键总是跟着工作键转动的，但二者转向相反。其运动联系是靠装在键尾的四连杆机构来完成的，如图 3-30E 向视图所示。有的压力机，则靠凸轮状键柄来传递运动，如图 3-32 所示，副键柄 1 在扭簧（图中未示出）的作用下始终保持与主键柄 2 接触。副键的作用是在飞轮反转时起传力作用；此外，副键还可以防止曲柄滑块的"超前"运动。所谓"超前"是指在滑块的重力作用下，曲柄的旋转速度超过飞轮的转速，或滑块回程时在气垫推力的作用下，曲柄转速超过飞轮轮速的现象。"超前"运动会引起工作键与中套的撞击，因为，转键与中套的缺月槽不能全面接触，只能单向传力。

图 3-33 所示为矩形转键离合器，它与半圆形转键离合器的主要区别在于转键的中部呈近似的矩形截面，强度较好，但转动惯量较大，冲击较大。

由上述可以看出，离合器接合时，转键承受相当大的冲击载荷，因此其常用合金结构钢 40Cr、50Cr 或碳素工具钢 T7、T10 制造，热处理硬度为 50～55HRC，而在两端 30～40mm 长度处回火至 30～35HRC。关闭器采用 40Cr 钢，热处理硬度为 50～55HRC。中套用 45 钢，热处理硬度为 40～45HRC。内、外套也用 45 钢制造，调质处理硬度为 220～250HBS。

2. 操纵系统

关闭器的转动是靠操纵机构来实现的。图 3-34 所示为用电磁铁控制的操纵机构，可以使压力机获得单次行程和连续行程。

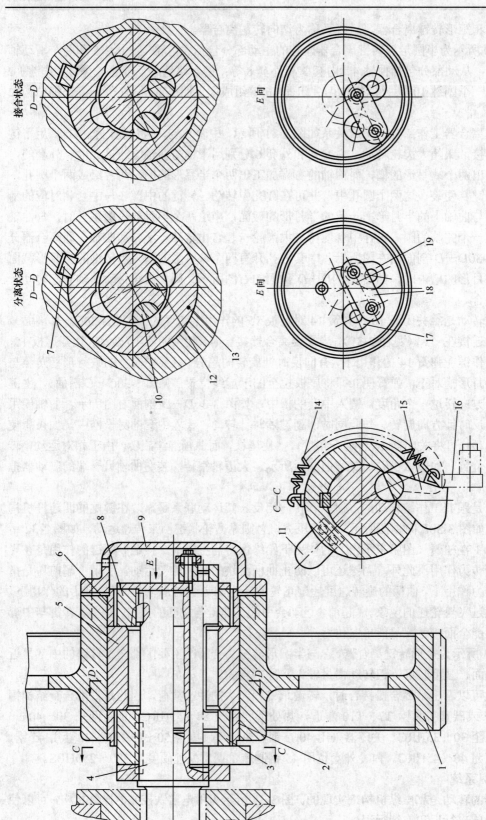

图 3-30 半圆形双转键离合器

1—大齿轮；2、6—滑动轴承；3—内套；4—曲轴；5—中套；7—平键；8—外套；9—端盖；10—副键；11—凸块；12—工作键；13—润滑棉芯；14—弹簧；15—尾板；16—关闭器；17—副键柄；18—拉板；19—工作键柄

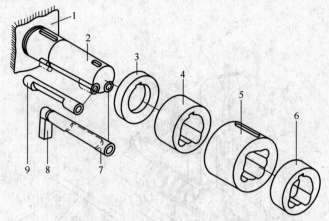

图 3-31　双转键离合器构造关系图
1—机身立柱；2—曲轴；3—挡圈；4—内套；5—中套；
6—外套；7—主键；8—尾板；9—副键

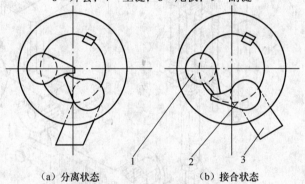

（a）分离状态　　　　　（b）接合状态

图 3-32　双转键柄工作关系图
1—副键柄；2—主键柄；3—尾板

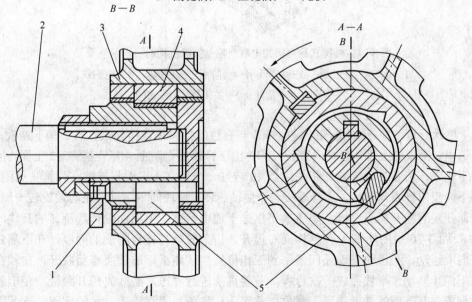

图 3-33　矩形转键离合器
1—尾板；2—曲轴；3—大齿轮；4—中套；5—矩形转键

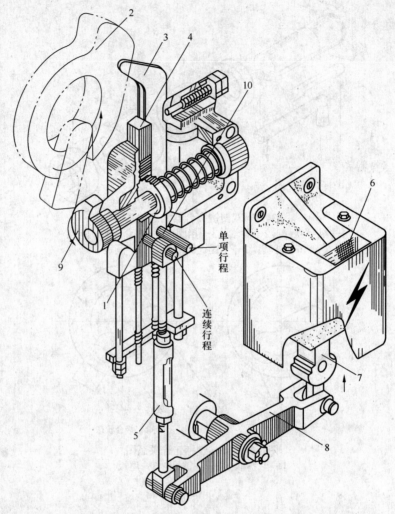

图 3-34　转键式离合器的电磁铁控制操纵机构的结构示意图

1—齿轮；2—凸块；3—打棒；4—台阶面；5—拉杆；6—电磁铁；

7—衔铁；8—摆杆；9—关闭器；10—销子

（1）单次行程。预先用销子 11 将拉杆 5 与右边的打棒 3 连接起来，然后踩下踏板，使电磁铁 6 通电、衔铁 7 上吸，拉杆向下拉打棒，由于打棒的台阶面 4 压在齿条 12 上面，齿条也跟着向下运动。齿条带动齿轮 1 和关闭器 10 转过一个角度，尾板与转键在弹簧（见图 3-30）的作用下向反时针方向转动，离合器接合，曲轴旋转，滑块向下运动。在曲轴旋转一周之前，操作者即使没有松开操纵踏板，电磁铁仍然处于通电状态，但随曲轴一起旋转的凸块 2（见图 3-34 及图 3-30 中的件 11）将打棒向右撞开，齿条脱离打棒台阶面的限制，在下端弹簧的作用下向上运动，经齿轮带动关闭器回到工作位置挡住尾板，迫使离合器脱开，曲轴在制动器作用下停止转动，滑块完成一次行程。若要再次进行冲压，必须先松开踏板，使电磁铁断电，让打棒在其下面的弹簧作用下复位，重新压住齿条，再踩踏板，才能实现，这就实现了单次行程。

（2）连续行程。用销子将拉杆直接与齿条相连，这样凸块和打棒将不起作用，只要踩住踏板不松开，电磁铁不断电，滑块便可连续冲压，即实现连续行程。

上述操纵机构，存在单次行程与连续行程转换不方便的缺点。因此，某些压力机的转键离合器操纵机构，拉杆直接与齿条连接，由电器控制线路与操纵机构密切配合，只要改变转换开关的位置，即可实现单次行程与连续行程的变换，使用比较方便，但电器容易产生故障。

综上所述，刚性离合器具有结构简单、容易制造的优点。但工作时有冲击，滑销、转键等接合件容易损坏，噪声较大，且只能在上止点附近脱开，不能实现寸动操作及紧急停车，使用的方便性、安全性较差些。因此，这类离合器一般用在 1 000kN 以下的小型压力机上。

为了使刚性离合器能够实现紧急停车，给压力机的安全操作提供条件，近年来，国内开发了多种安全刚性离合器，即具有急停机构的刚性离合器。这种离合器，一般可用自动监控装置检测出异常现象，迅速自动地使滑块停止运动。但都处于研制阶段，有待于在生产中进一步检验。

### 3.3.2　摩擦离合器—制动器

摩擦离合器是借助摩擦力使主动部分与从动部分接合起来的；而摩擦制动器是靠摩擦传递扭矩、吸收动能的。摩擦离合器—制动器是通过适当的连锁方式（即控制接合与分离的先后次序）将两者结合在一起，并由同一操纵机构来控制压力机工作的装置。压力机的摩擦离合器—制动器的结构形式很多，按其工作情况分为干式和湿式两种。干式离合器—制动器的摩擦片暴露在空气中，而湿式的则浸在油中。按其摩擦面的形状，又有圆盘式、浮动镶块式和圆锥式等。目前常用的是圆盘式和浮动镶块式摩擦离合器—制动器。

图 3-35 所示为气动圆盘式摩擦离合器—制动器。左端是离合器，右端是制动器，它们之间用推杆 5 等零件刚性连锁。主动部分由大皮带轮（飞轮）7、离合器内齿圈 8、主动摩擦片 9 等组成。从动部分由带有小齿轮 14 的空心传动轴 4、从动摩擦片 6、离合器外齿圈 3 及制动器外齿圈 13 和摩擦片 12 等组成。接合件是主动摩擦片和从动摩擦片。操纵机构由气缸 1、活塞 2 和压缩空气的控制系统等组成。

工作原理：压力机启动时电磁空气分配阀通电开启，压缩空气进入离合器气缸，向右推动活塞，离合器主、从动摩擦片被压紧，并在此产生足够的摩擦力矩，于是大带轮便可以带动从动轴转动，在空心传动轴内的推杆向右移动过程中，因压缩制动弹簧，使制动摩擦片与制动盘脱开，制动器在离合器接合之前松开；制动时电磁空气分配阀断电，离合器气缸与大气相通，在制动弹簧作用下，空心传动轴内的推杆推动活塞向左移动，离合器中的主动摩擦片与从动摩擦片脱开，制动器的摩擦片被压紧，产生制动作用，从而迫使从动部分停止运动。离合器与制动器接合与分离的先后次序是靠推杆来完成的，故又称机械连锁（刚性连锁）的离合器—制动器。

这种离合器—制动器的摩擦片多用铜基粉末冶金制成，它具有较好的耐热性能、较大的摩擦系数和一定的抗胶合能力。在离合器和制动器中，摩擦面之间的间隙为 0.5mm 左右。当摩擦材料过度磨损后，需要重新调整间隙。调整时，只要松开制动器右端的锁紧螺钉和圆螺母，调节制动螺栓压缩制动弹簧 10 即可。

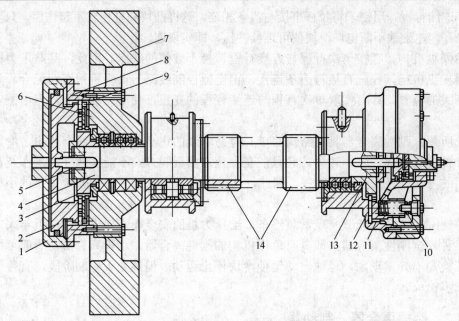

图 3-35　JA31-160B 压力机的气动圆盘式摩擦离合器—制动器

1—气缸；2—活塞；3—离合器外齿圈；4—空心传动轴；5—推杆；6—从动摩擦片；7—大皮带轮；

8—离合器内齿圈；9—主动摩擦片；10—制动弹簧；11—制动器内齿圈；

12—摩擦片；13—制动器外齿圈；14—小齿轮

综上所述，摩擦离合器—制动器与刚性离合器相比具有如下优点：摩擦离合器与制动器动作协调，离合器能随时接合或脱开，因此容易实现寸动行程，便于调整模具；接合平稳，能在较高转速下工作，传递的扭矩和产生的制动力矩大；排气系统安装消声器以后，工作过程噪声较小。但其结构较复杂，外形尺寸大，制造困难，成本也较高，且需气源，对小厂使用不便；同时，离合器和制动器中的摩擦片在接合或制动时因相对滑动，而易于磨损。摩擦离合器—制动器多用在大中型压力机上。

### 3.3.3　带式制动器

压力机常用的制动器有两种类型即圆盘式制动器和带式制动器。盘式制动器一般与圆盘式摩擦离合器配合使用，其结构特征在前面已述。带式制动器一般与刚性离合器配合使用，主要安装于小吨位的压力机上。常用的带式制动器有 3 种即偏心带式制动器、凸轮带式制动器和气动带式制动器。

（1）图 3-36 所示为偏心带式制动器。偏心带式制动器由制动轮 6、制动带 8、摩擦带 7、制动弹簧 10 和调节螺钉 1 等组成。制动轮 6 用键紧固在曲轴 5 的一端；制动带 8 包在制动轮的外沿，其内层铆接着摩擦带 7，制动带的两端各铆接在拉板 9 和 11 上，紧边拉板与机身铰接，松边拉板用制动弹簧 10 张紧。制动轮与曲轴有一偏心距 $e$，因此，当滑块向下运动时，偏心轮对制动带的张紧力逐渐减小，制动力矩也逐渐减小。滑块到下止点时，制动带最松，制动力矩最小。当滑块向上运动时，制动带逐渐拉紧，制动力矩增大，滑块在上止点时，制动带绷得最紧，制动力矩最大。由此可见，偏心带式制动器在滑块的整个行程中，对曲轴作用一个周期变化的制动力矩。这个制动力矩能在一定程度上平衡滑块重量，克服刚性离合器的"超前"现象。其大小可通过旋转星形把手 3 调节制动弹簧的压缩量大小来调节。这种制动器结构简单，常与刚性离合器配合用于小型开式压力机上。但因经常有制动力矩作用，增加了压力机的能量损耗，加速了摩擦带材料的磨损。使用时需要经常调节，既不能过松，也不能太紧，以期能够与离合器准确配合，安全工作。并且要避免润滑油流入制动器摩擦面，致使制动效果大减。

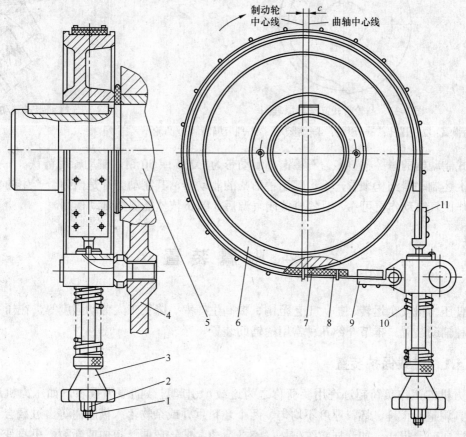

图 3-36　偏心带式制动器

1—调节螺钉；2—锁紧螺母；3—星形把手；4—机身；5—曲轴；6—制动轮；

7—摩擦带；8—制动带；9—紧边拉板；10—制动弹簧；11—松边拉板

（2）图 3-37 所示为凸轮带式制动器，制动轮 5 与曲轴是同心的，凸轮 6 根据需要制成一定的轮廓曲线，一般滑块在上止点时制动带张得最紧。当滑块下行时，制动带不完全松开，保持一定的张紧力，防止连杆滑块的"超前"运动。当滑块上行时，制动带完全松开，减少能量的损耗。这种制动器也与刚性离合器配合使用。

（3）图 3-38 所示为气动带式制动器。气缸进气时，压缩制动弹簧、制动带松开；排气时，在制动弹簧的作用下拉紧制动带，产生制动作用。这种制动器，只在制动时对曲轴有制动力矩作用，其他时候，制动带完全松开。所以，能量损耗小，且可以任意角度制动曲轴。一般和摩擦离合器配合使用。但其结构比较复杂。

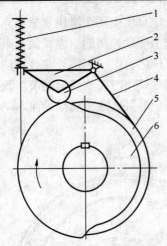

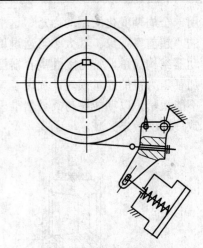

图 3-37　凸轮带式制动器原理图　　　　　　　图 3-38　气动带式制动器

1—制动弹簧；2—杠杆；3—滚轮；4—制动带；5—制动轮；6—凸轮

带式制动器的摩擦材料多为石棉铜，制动带为 Q235 或 50 钢，制动轮用铸铁。

从上述制动器结构来看，不论哪一种形式的制动器，其制动力都是由弹簧产生的。因为弹簧动作比气缸动作更可靠，且停机关闭气源后，弹簧依然能保持制动作用。

# 3.4　附属装置

为使压力机安全运转、扩大工艺范围、提高生产率、降低工人劳动强度等，在压力机中常设各种辅助装置。本节介绍几种常用的辅助装置。

## 3.4.1　过载保护装置

压力机的工作负荷超过许用负荷称之为过载。引起过载的原因很多，如压力机选用不当、模具调整不正确、坯料厚度不均匀、两个坯料重叠或杂物落入模腔内等。过载会导致压力机的薄弱部分损伤，如连杆螺纹破坏，螺杆弯曲，曲轴弯曲、扭曲或断裂，机身变形或开裂等。为防止过载，一般大型压力机多用液压式保护装置，中小型压力机多用液压式或压塌块式保护装置进行过载保护。

1. 压塌块式保护装置

压塌块式保护装置通常装在滑块部件中。压力机工作时，作用在滑块上的工作压力全部通过压塌块传给连杆，如图 3-17 中的件 6 其结构尺寸如图 3-39 所示。压力机过载时，压塌块 $a$、$b$ 处的圆形截面发生剪切破坏，使连杆相对滑块移动一个距离，从而保证压力机的重要零件不过载；同时能拨动开关，使控制线路切断电源、压力机停止运转，从而确保设备的安全。更换新的压塌块后，压力机便可继续正常工作。

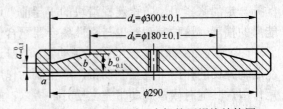

图 3-39　J31—315 型压力机的压塌块结构图

为保证过载保护装置的保险功能准确可靠，每批压塌块材料均要进行力学性能试验，并根据试验数据确定剪切面的高度。对于小型压力机，压塌块可采用单剪切面的形式，如图 3-14 中的压塌块。

压塌块的破坏实际上不仅与滑块的作用力大小有关，而且还与力的作用次数有关，因此这种装置不可能准确地限制过载力。有时载荷尚未超过允许数值，但压塌块已发生疲劳破坏，以致不能充分发挥压力机的工作能力，并影响生产效率。同时也不宜用于双点或四点压力机上，因为超载时不能保证两个或 4 个连杆下面的压塌块同时断裂，若发生不同时断裂的情况，滑块将会倾斜，并可能造成卡死现象。压塌块式保护装置结构简单、制造方便、价格低，但保护精度差，因此常用在中小型压力机上。

2. 液压式过载保护装置

图 3-40 所示为 J39—800 型闭式四点压力机的液压保护装置原理图，该压力机每个连杆与滑块的结点处均设置了液压垫 6，每个液压垫都设有卸荷阀 5，其中一个液压垫还设有限位开关 4。

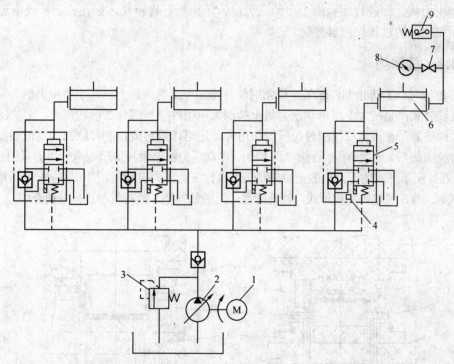

图 3-40　J39—800 型闭式四点压力机液压式保护装置原理图

1—电动机；2—高压液压泵；3—溢流阀；4—限位开关；5—卸荷阀；
6—液压垫；7—压力表开关；8—压力表；9—压力继电器

工作时高压液压泵 2 打出的高压油，流经单向阀、卸荷阀 5 进入液压垫 6 的液压缸。为使液压垫内的连杆支承座抬起，当压力机在公称压力下工作时，液压垫中的油压使卸荷阀中的单向阀关闭，但进油端内的油压及弹簧的作用力之和大于输出端的总压力，因此压力机可以正常工作。

当压力机超载时，液压垫中的油压升高，致使卸荷阀输出端的总压力大于进油端的总压力，迫使阀芯移动，阀 5 上移工作，使液压垫中的油排回油箱，连杆相对滑块移动一个距离，压力机迅速卸载。当卸荷阀阀芯移动时，阀芯上的斜面螺母触动限位开关，限位开关迫使液压泵电动机的电源和离合器的控制线路切断，液压泵停止供油，压力机也紧急停车。待消除过载后，卸荷阀复位，液压泵再次向液压垫中供油，压力机随即又可重新工作。

溢流阀调整不当或失灵将引起液压泵压力过高或过低，均会影响压力机的正常工作。例如，压力调得过高，则当压力机过载时卸荷阀将打不开，会使压力机发生破坏的危险；若压力调得过低，则当压力机工作压力较低时，卸荷阀就打开，压力机达不到公称压力。为了避免上述两种情况，设有压力继电器 9，以便控制过高或过低的油源压力。为了测量压力机工作时所受到的实际工艺力，该压力机在滑块液压垫管路中接有压力表 8，根据需要，只需将压力表开关 7 打开，即可从表中得到读数值，在一般情况下压力表开关关闭。

此种过载保护装置具有结构简单、保险精度高、工作压力可以调节、发生作用后能自动恢复等优点，多用于大中型压力机。

上述过载保护装置都是用来限制滑块上作用力大小的，通常适用于开式压力机。但是，对于大型压力机，如进行深拉深工序的压力机，压力机行程较长，则在传动系统中还装有限制传动系统扭矩的过载保护装置。

### 3.4.2　拉深垫

板料拉深时，为防止制件起皱，经常对坯件施加一定的压边力。在小型压力机上常用弹簧或橡胶压料装置；而在大中型单动压力机上拉深大中型件且拉深件深度较深时，则广泛采用拉深垫。拉深垫除了在压力机拉深时起压料作用外，还可作顶料或作制件底部的局部成型用。压力机装有拉深垫后，使用范围得到扩大。例如，单动压力机装设拉深垫起双动压力机的作用，如图 3-41（a）所示，双动压力机装上拉深垫后可以作三动压力机使用，如图 3-41（b）所示。拉深垫有气垫、液压气垫等结构形式，目前应用广泛的是气垫，故对气垫进行专门介绍。

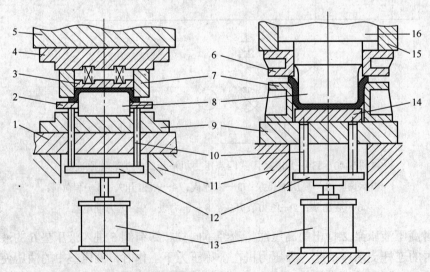

（a）在通用压力机上使用拉深垫的工作情况　　（b）在双动压力机上使用拉深垫的工作情况

图 3-41　拉深垫的应用简图

1—垫板；2、6—压料圈；3、14—顶板；4—上模座；5—滑块；7—凹模；8—凸模；9—下模座；

10—顶杆；11—工作台；12—托板；13—拉深垫；15—外滑块；16—内滑块

1．气垫

气垫的种类较多，按同一活塞杆上套装的活塞数可分为单层式、双层式和三层式等。

图 3-42 所示为单层式气垫，它由气缸 5、气缸盖 8、活塞 4、托板 1 等零件组成。气缸固定在机身工作台的底面，当气缸下腔通入压缩空气时，活塞和托板一起向上移动至上极限位置，气垫处于工作状态。当压力机的滑块向下运动，上模接触到坯件后，托板及活塞由于滑块和模具顶杆（装在托板上）的作用而同步下移，并以一定的压边力压紧被冲压制件的边缘，直到滑块达到下死点，完成拉深工作为止。滑块回程时，压缩空气又推动活塞随滑块上升至上极限位置，完成顶件工作。

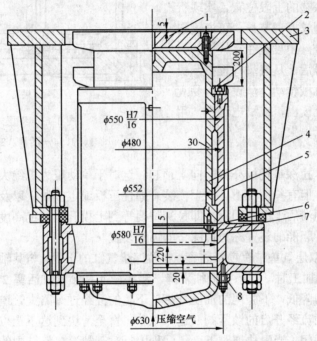

图 3-42　JA36—160 压力机气垫

1—托板；2—定位块；3—工作台；4—活塞；5—气缸；

6—密封；7—压环；8—气缸盖

气垫力的大小取决于气垫活塞面积、活塞个数及空气压力。当气垫结构确定后，可通过调节气路系统中的空气压力来获得所需的气垫力，以满足不同冲压工序的需要。并且该力在冲压的整个过程中，可以保持基本不变。一般压力机中采用何种型式的气垫结构，要根据产品的冲压工序特征和压力机工作台的大小而确定。单层式气垫周界（径向）尺寸较大，产生的力等于压缩空气压力乘以活塞面积，它多用于工作台下空间较大的压力机中，双层式气垫的周界（径向）尺寸小，广泛用于各类压力机中，三层式气垫主要用于大型压力机中。

图 3-43 所示为三层式气垫结构，3 个活塞分别置于 3 个气缸内，并用一根活塞杆连接在一起，活塞杆心部有通气道，使 3 个气缸连通，气缸则固定于机身上。因此，所产生的压紧力可达到相同截面尺寸的单层气垫的近 3 倍。

2．拉深垫行程调节装置

普通拉深垫托板的上限位置是固定的，在更换模具时必须相应地更换不同长度的顶料杆，所以制造费用增加，操作及保管也极为不便。为改善这种情况，采用了行程可调节的拉深垫行程调节装置，不论是气垫还是液压气垫均可采用这种装置。

图 3-44 所示为双层气垫结构图，其行程长度调节机构是通过电动机带动螺杆 6 和蜗轮 7 旋转，蜗轮内孔为螺母，因此，蜗轮的旋转就驱动调节螺杆（即限位螺杆）5 上下移动，从而改变拉深垫的上限位置，实现行程长度的调整。行程长度调节量，可通过自整角发送机发出信号，由设置在立柱上的自整角接收机接收信号后，从气垫行程指示器上读出。也可通过机械传动，从设在容易观察的位置上的标尺上读出，或机电结合，用数字显示的方法显示出来。

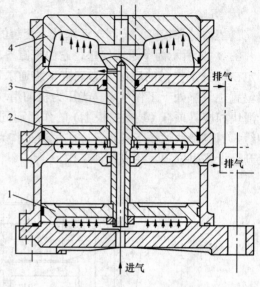

图 3-43　三层式气垫
1、2、4—活塞；3—活塞杆

3．锁紧装置

当滑块回程时，拉深垫托板亦随即向上顶起。这对于单动压力机绝大多数的工作情况而言，是满足需要的。但有些情况下，如上模装有弹性压板或定位块，以及双动压力机，却要求拉深垫的顶起必须滞后于滑块回程，即拉深垫要等到上模升至一定高度后才能顶起，以免顶坏工件。执行这种职能的装置称为拉深垫的锁紧装置。

图 3-44 所示为双层气垫带有锁紧装置。在拉深垫气缸的下面，与其轴向串联着一个小的锁紧液压缸 3。拉深加工时，气垫托板往下降，活塞杆 4 和锁紧缸活塞 2 也随之下降。锁紧液压缸上腔中的压力降低，下腔内的油压升高，下腔的油经过旁路大管道顶开止回阀 1 流入上腔，同时一部分油流经开启的锁紧阀 9 进入上腔。直至滑块到达下止点时，关闭锁紧阀，同时，止回阀自动关闭。当滑块通过下止点回程上行时，拉深垫气缸中的压缩空气便要将拉深垫托板向上顶起，但由于锁紧液压缸上腔充满的油不能排出，锁紧缸活塞拉住活塞杆阻止气垫上行，即气垫被锁紧在下止点。

滑块回程上行达到指定位置后，电磁空气阀启动使锁紧阀 9 的气缸排气，锁紧阀重新打开，锁紧液压缸上、下腔接通。气垫托板在压缩空气作用下上升顶件，锁紧缸上腔的油随之被压回下腔。电磁空气阀的起动是根据旋转式凸轮行程开关发出的信号进行的，它的工作时间可以任意设定。需要进行锁紧时，在临近下止点前的位置就应发出信号，以免延误锁紧。

### 3.4.3　推料装置

为将制件顺着冲压方向从上模中推出来，在滑块中装有推料装置（或称推料、打料装置）。推料装置有两种即刚性推料装置和气动推料装置。

图 3-45 所示为刚性推料装置，它由穿过滑块的打料横杆 4 及固定于机身上的挡头螺钉 1（调整螺钉）等组成。当滑块向下运动时，由于制件的作用，通过上模中的打料横杆在滑块中升起，当滑块回程向上接近上止点时，打料横杆与拧在挡头座 2 上的挡头螺钉 1 接触，由于挡

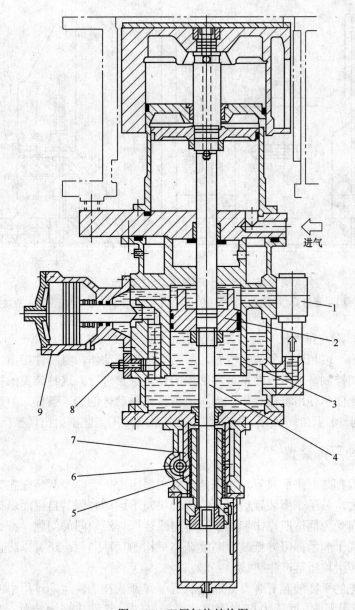

图 3-44 双层气垫结构图

1—止回阀；2—锁紧缸活塞；3—锁紧液压缸；4—活塞杆；5—限位螺杆；6—螺杆；

7—蜗轮；8—升程调节螺栓；9—锁紧阀

头座固定在机身上不动，故滑块继续上升而打料横杆不动，因此通过上模中的打料横杆即可将制件推出。

必须注意，调节压力机装模高度时，必须相应地调节挡头螺钉位置，以免发生设备事故。

刚性推料装置结构简单、动作可靠、应用极广，缺点是推件力（GB8845—1988）及推料装置不能任意调节。

图 3-46 所示为气动推料装置，这是近年才出现的。一组气动推料装置由两个双层气缸 2 和 1

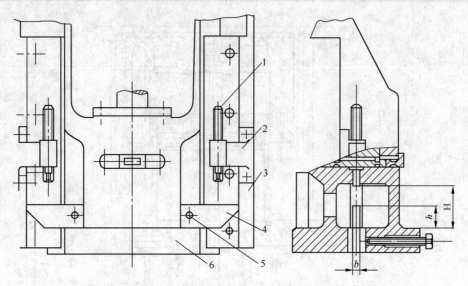

图 3-45　JB23—63 型压力机刚性推料装置

1—挡头螺钉；2—挡头座；3—机身；4—打料横杆；5—挡销；6—滑块

根顶料杆 5 组成，双点压力机有几组推料装置。双层气缸与机身连接在一起，它的活塞杆 4 以铰销和顶料杆的一端相连。气缸进气时，即推动顶料杆动作，将制件推出，气缸的进排气由电磁空气分配阀控制，它可以使推料在回程的任意位置进行。这种装置的推件力和推料行程容易调节，因此便于使用机械操作，为实现机械化自动化创造了条件。但这种装置结构较为复杂，由于受到气缸尺寸与气压大小的限制，在个别冲压工艺中会出现推料力不够的现象。

### 3.4.4　滑块平衡装置

压力机上一般都装有平衡装置，特别是在大中型压力机上装平衡装置尤为重要。通常压力机滑块重量较大，装了平衡装置后，可防止滑块向下运动时因其自重而迅速下降，使传动系统中的齿轮反向受力而造成撞击和噪声；可消除连杆与滑块间的间隙，减少受力零件的冲击和磨损，且有利于润滑；可降低装模高度调整机构的功率消耗；还可以防止因制动器失灵或连杆折断时而使滑块坠落产生事故。

压力机上常见的平衡装置有弹簧式和气缸式。弹簧式在滑块运动过程中的平衡力波动较大，性能差，只适用于小型压力机。使用效果较好的是气动式平衡装置。图 3-47 所示为 J31—315 型压力机的平衡装置，它由气缸 1、活塞 2 组成。活塞杆的上部与滑块连接，气缸装在机身上。气缸的下腔通入压缩空气，因此就能把滑块托住、并平衡滑块的重量。当滑块向下运动时，气缸下腔的压缩空气排入气罐。向上运动时，气罐的压缩空气进入气缸下腔。根据所装上模重量的不同，调整空气压力使平衡缸和滑块及上模保持相应平衡。

### 3.4.5　移动工作台

为缩短停机和拆装模具的时间，提高劳动生产率，在近代大中型压力机上大多备有移动工作台。但是，压力机造价要增加 20%～25%、高度增加、前后尺寸加大、占地增多、厂房跨度也要相应增加。

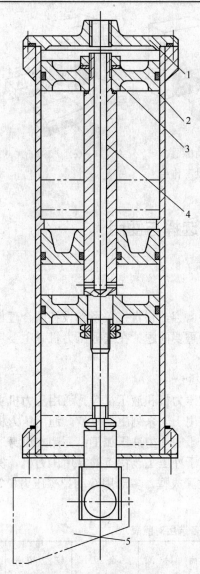

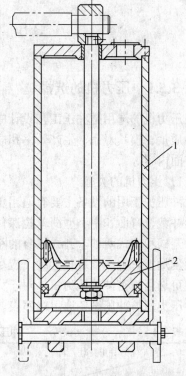

图 3-46　气动推料装置

图 3-47　J31—315 压力机平衡装置

1—气缸盖；2—气缸；3—活塞；4—活塞杆；5—顶料杆

1—气缸；2—活塞

移动工作台有 3 种形式。第一种形式为左右移出，如图 3-48（a）所示，活动台有两个，可以向两侧分别移出，一个在压力机内进行冲压工作，另一个在压力机外预先装好模具。待一批工件冲压完毕后，在压力机内的工作台移出，预先装好模具的工作台移入，缩短了停机装拆模的时间。这种左右移出的形式，占地面积较大。第二种形式是前向移出，如图 3-48（b）所示，这种形式占地面积较小，但装模与拆模不能同时进行，只对拆模方便，对换模时间的缩短并不显著。第三种形式是一侧移出，如图 3-48（c）所示，压力机有两个工作台，工作台向一侧移出，然后再向前移动，具有前两种的优点，即装拆模能同时进行，且占地面积也较小。

移动工作台的牵引装置有两种形式：内牵引式和外牵引式。内牵引式是通过电动机及减速装置驱动转抽，使车轮转动，此种牵引装置结构复杂，但其自备驱动装置，使用方便。外牵引式则需要纹盘或吊车等装置驱动，结构简单，但使用不方便。

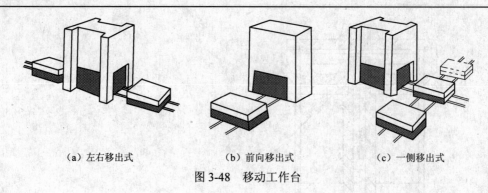

（a）左右移出式　　　　　（b）前向移出式　　　　　（c）一侧移出式

图 3-48　移动工作台

# 3.5　压力机的选择与使用

## 3.5.1　压力机的选择

压力机的选用是冲压工艺设计中的一项重要内容，它直接关系到设备的合理使用、安全产品质量、模具寿命、生产效率和成本等一系列重要问题。在选择压力机时主要考虑以下 3 个方面内容。

1．压力机的类型

冲压加工用的设备主要有通用压力机、专用压力机和液压机等。通用压力机主要适用于普通冲裁、弯曲和中小型简单拉深件的成型，适用于一系列生产批量。通用压力机的机身又分为开式和闭式两种，开式机身的刚性差，适用于中小型冲压加工；而闭式机身适用于大中型冲压加工。生产批量较大时，应尽量选用适应于冲压工艺特点的专用压力机，例如，精密冲裁可选用精密冲裁压力机；对于大型覆盖件拉深成型，多选用双动拉深压力机等。表 3-4 为冲压类型与冲压设备选用对照表。

表 3-4　　　　　　　　　　　　　冲压类型与冲压设备选用对照表

| 冲压设备 ＼ 冲压类型 | 冲　裁 | 弯　曲 | 简单拉深 | 复杂拉深 | 整型校平 | 立体成型 |
|---|---|---|---|---|---|---|
| 小行程通用压力机 | √ | ○ | × | × | × | × |
| 中行程通用压力机 | √ | ○ | √ | ○ | ○ | × |
| 大行程通用压力机 | √ | ○ | √ | ○ | √ | √ |
| 双动拉深压力机 | × | × | ○ | √ | × | × |
| 高速自动压力机 | √ | × | × | × | × | × |
| 摩擦压力机 | ○ | √ | × | × | × | √ |

说明：表中√表示适用，○表示尚可使用，×表示不适用。

2．压力机的能力

（1）压力。

在本章前面章节中讲述了压力机的公称压力和滑块许用负荷曲线。公称压力是指滑块运动至下止点前某一特定距离时，滑块所容许承受的最大作用力。从滑块许用负荷曲线中可知，在滑块全行程中，并不保持这一公称压力。有的压力机在行程中间点处的压力约为公称压力的 40%～50%。

　　在选用压力机时，应使冲压变形力和冲压变形曲线位于滑块许用负荷曲线之下，这样压力机才是安全的。如果是复合冲压，应将几个工序变形力的曲线相加起来，然后再进行比较。另外，选择压力机的计算方式如下。

　　① 当压力机对坯料施加压力的行程小于 5%的压力机行程时，压力机公称压力大于等于1.3 倍的冲压总力（包括冲压变形力、推件力、顶件力、卸料力等各力的总和）。

　　② 当压力机对坯料施加压力的行程大于 5%的压力机行程时，例如，拉深成型在浅拉深时，最大变形力应限制在公称压力的 70%～80%；在深拉深时，最大变形力应限制在公称压力的 50%～60%。

　　（2）功率能力。

　　压力机的功率能力是由电动机功率和飞轮能量等因素决定的。当冲压功率超过压力机功率导致功率超载时，会使压力机飞轮转速降低，甚至因滑块被顶住而停止运动，以至会发生闷车和烧毁电动机事故。

　　冲压功的大小与冲压力和冲压工作行程有关。对于冲裁加工，由于冲裁工作行程较短，一般压力不超载时，冲压功就不会超载。但是对于拉深成型的大工作行程来说，一般都应该进行冲压功校核，以保证冲压功不超载。

　　3．压力机的规格

　　（1）压力机的装模高度。

　　模具的闭合高度应介于压力机的最大装模高度和最小装模高度之间，并考虑留有适当余量，计算式如下：

$$H - 5\text{mm} \geqslant H_d \geqslant H - M + 10\text{mm}$$

式中：$H$——压力机最大装模高度，mm；

　　　$H_d$——模具的闭合高度，mm；

　　　$M$——压力机连杆调节长度，mm。

当模具安装固定需要附加垫板时，还应考虑附加垫板厚度的影响。

　　（2）滑块行程。

　　一般冲压加工时，由于工作行程较短，不用考虑滑块行程。在通用压力机上进行拉深成型时，由于制件高度较大，必须考虑滑块行程的影响，否则拉深后的制件难以取出。一般按下式估算：

$$h \geqslant 2.5 h_0$$

式中：$h$——压力机滑块行程；

　　　$h_0$——拉深制件的高度。

　　当采用导板模结构时，为保证凸模始终不与导板脱开，应该选择滑块行程可调节的偏心式压力机。

　　（3）工作台板及滑块尺寸。

　　模具的下模板安装固定于压力机的工作台垫板上，当采用压板、T 形螺栓固定下模时，在安装方位有不小于 50～70mm 的安装尺寸；当采用了 T 形螺栓直接固紧下模时，下模板略小于工作台板尺寸即可。

　　对于大多数压力机，滑块在上止点位置时的下平面低于压力机机身导向部分；对于某些开式机身压力机，滑块在上止点位置时的下平面高于压力机机身导向部分，这时上模板外形尺寸必须小于滑块外形尺寸。

（4）工作台板漏料孔。

① 当小型模具的下模板尺寸接近工作台板漏料孔尺寸时，应增加附加垫板；当下模板尺寸接近工作台板漏料孔尺寸时，也应增加附加垫板。

② 当下模安装通用弹顶器时，弹顶器的外形尺寸应小于工作台板漏料孔尺寸。

（5）生产率。

压力机每分钟的行程次数应满足生产率和冲压工艺的要求。

### 3.5.2　压力机的正确使用与维护

压力机同其他机械设备一样，只有操作者正确使用和切实地维护保养好，才能减少机械故障，延长其使用寿命，同时充分发挥其功能，保证产品质量，并最大限度地避免事故的发生。下面从压力机的能力、结构、操作、检修及模具使用等方面进行介绍。

1．压力机能力的正确发挥

压力机的使用者必须明确所使用压力机的加工能力（标称压力、许用负荷图、电机额定功率），并且在使用过程中，让压力机的能力留有余地。这对压力机的部件寿命、模具寿命及避免超负荷使压力机破坏都是至关重要的。尤其是偏心负荷时，使用压力需低于标称压力很多。超负荷对压力机、模具及工件等均有不良影响，避免超负荷是使用压力机的最基本条件。

超负荷将出现如下现象，反之，也可以通过这些现象的出现来判定是否超负荷。

（1）电动机功率超负荷，将引起：①电机的电流增高，电动机过热；②单次行程时，每次作业的减速都很大；③连续行程时，随着作用次数的增加，速度逐渐减小，直至滑块停止运转。

（2）工作负荷曲线超出许用负荷曲线，将出现：①曲柄发生扭曲变形；②齿轮破损；③连接键损坏；④离合器打滑、过热。

（3）标称压力超负荷，将出现：①作业声音异常高、振动大；②曲柄弯曲变形；③连杆破损；④机身出现裂纹；⑤有过载保护装置的则保护装置产生动作。

2．压力机结构的正确使用

单点压力机在偏心载荷作用下会使滑块承受附加力矩 $M=Fe$，因而在滑块和导轨之间产生阻力矩 $F_R l$，如图3-49（a）所示。$M$ 使滑块倾斜，加快了滑块与导轨间的不均匀磨损。因

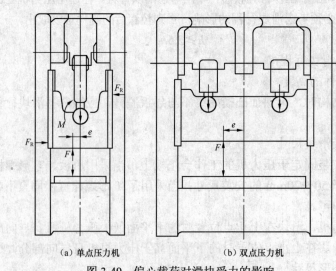

　（a）单点压力机　　　　　　　（b）双点压力机

图3-49　偏心载荷对滑块受力的影响

此，进行偏心负荷较大的冲压加工时，应避免使用单点压力机，而应使用双点压力机。双点压力机在承受偏心负荷时不产生附加力矩，如图 3-49（b）所示。

压力机各活动连接处的间隙不能太大，否则将降低精度。可用下面的方法检验：在滑块向下行程进行冲压时，用手指触摸滑块侧面，在下止点如果有振动说明紧，过紧将会发热磨损。有适当的间隙对改善润滑、延长使用寿命是必要的。各相对运动部分都必须保证良好的润滑，按要求添加润滑油（脂）。

压力机的离合器、制动器是确保压力机安全运转的重要部件。离合器、制动器发生故障，必然会导致大的事故发生。因此，操作者必须充分了解所使用压力机的离合器、制动器的结构，而且每天开机前都要试车检查离合器、制动器的动作是否准确、灵活、可靠。气动摩擦离合器—制动器使用的压缩空气必须达到要求的压力标准，如果压力不足，对离合器来说，将产生传递转矩不足；对制动器来说，将产生摩擦盘脱离不准确，造成发热和磨损加剧。

滑块平衡装置，应在每次更换模具后，根据模具的重量加以调整，保证平衡效果。

### 3．模具对压力机正确使用的影响

模具尺寸与压力机的工作台尺寸相适应，小型模具应在工作台面积较小的单点压力机上使用。如果工作台面积过大，而冲压力接近压力机的标称压力，将使工作台及工作台垫板在集中负荷的作用下承受过大的弯矩而导致破坏。此外，在大工作台上使用小模具进行冲压作业，尽管冲压力不大，也多半会引起振动，故应特别注意。一般模具安装面积太小时，应加垫板，以分散压力。

对于闭合高度较小的模具，也应加垫板，避免调节螺杆伸出过长，导致强度和刚度降低，产生危险。

### 4．进行正确无误的操作

压力机的操作错误不仅会使压力机、模具、工件遭受破坏，甚至还会导致人身事故的发生。因此正确操作是安全使用压力机的重要环节，必须充分重视。

首先，必须准确牢靠地安装好模具，保证模具间隙均匀、闭合状态良好、作业过程不松动移位。其次，严格遵守压力机的操作规程，一定要在离合器脱开后，才可以启动电动机。作业过程中，及时把工作台上的冲压件、废料清除掉，清除时要用钩子或刷子等专用工具，不能图省事，直接徒手进行。板料冲裁时，不应让两块坯料重叠在一起进行冲裁。随时注意压力机工作情况，当发生不正常（如滑块自由下落、出现不正常的冲击声及噪声、成品有毛刺或质量不好以及工件卡在冲模上等）现象时，应立即停止工作，切断电源，进行检查和处理。工作完毕后，应使离合器脱开，然后才能切断电源，清除工作台上的杂物，用布揩拭，并在未涂油漆部分涂上一层防锈油。

### 5．定期检修保养

压力机经过使用机械部分便会磨损，磨损轻者使压力机不能发挥正常的功能，磨损重者则出现机械故障，甚至发生事故。定期检修的目的，就是通过每日、每周、每月、每半年或一年进行检查维修，使压力机始终保持完好的状态，以保证压力机的正常运转和确保操作者人身安全。压力机的定期检修保养，一般应完成离合器的保养、制动器的保养、拉紧螺栓检修、其他螺栓类松动的修正、给油装置的检修、供气系统的检修、定期精度检查等。

除上述各项外，压力机的定期检修保养还应包括传动系统、电气系统及各种辅助装置功能的检查维修。日常检查是定期检修保养的重要环节，它可防患于未燃，因此，必须列入压力机操作规程，在每天作业前、开机加工中、作业后，都必须进行相应项目的检查，发现问题及时解决。

### 3.5.3 模具的安装与调整

在压力机上安装和调整模具是一件很重要的工作，它将直接影响设备和模具的使用安全以及产品质量。因此，在安装和调整模具前，首先要熟悉压力机和模具的结构及性能，而且严格执行安全操作规程。在压力机上安装模具的一般步骤如下所述。

（1）首先，检查压力机上的顶料装置，将挡头螺钉暂时调整到最高位置，以免在调整压力机闭合高度时发生撞击；检查模具的闭合高度与压力机装模高度是否匹配，检查下模顶料杆和上模顶料杆是否符合压力机打料装置的要求（大型压力机则应检查气垫装置）；将垫板和滑块底面的油污揩拭干净，并检查有无遗物，防止正确安装时发生意外事故。

（2）根据冲模的闭合高度调整压力机的装模高度，使滑块在下死点时底面与工作台面的距离大于冲模闭合高度。

（3）先将滑块升到上死点，将冲模放在压力机工作台面的规定位置上，再将滑块降到下死点，然后调节滑块的高度，使其底平面与冲模上模座的上平面接触（或接近）。注意，此时将滑块从上死点向下死点移动时，不能使用一般的冲压工作运动形式。对于刚性离合器压力机，常用手搬动飞轮，使滑块慢速移动到最下位置；对于摩擦离合器压力机，则用点动方式，使滑块逐渐靠近下死点；有些压力机上装备有微动装置，可以使滑块微动向下或向上，操作特别方便。在滑块接近下死点时，对带有模柄的冲模应使模柄进入模柄孔，并用夹持块紧固，对于无模柄的大型冲模，一般用螺钉将上模座紧固在压力机滑块上，同时将下模初步固定在压力机的工作台面上。

（4）将压力机滑块再上调 3～5mm，开动压力机，运行空行程 1～2 次，然后将滑块停下来，紧固住所有螺钉。若无导柱导套，则需在上下模对准后，方可紧固安装螺钉。

（5）进行试冲，并逐步调整滑块的闭合高度，逐步调整顶料装置的顶料位置。

# 思 考 题

1. 通用压力机由哪几部分组成？各起什么作用？
2. 通用压力机按不同的特征如何分类？
3. 通用压力机的封闭高度、装模高度及调节量各表示什么？
4. 滑块的许用负荷图说明什么问题？其图形一般是什么形状的？
5. 曲轴式、曲拐轴式、偏心齿轮式通用压力机有何区别？各有什么特点？
6. 通用压力机为什么设离合器？常见的离合器有哪几种？各有什么特点？
7. 半圆形双转键离合器的工作原理是怎样的？双转键各起什么作用？
8. 简述气动圆盘式摩擦离合器—制动器的工作原理。
9. 带式制动器有几种类型？为什么偏心带式制动器在工作中要经常调节？
10. 压力机的飞轮有什么作用？有时在工作中飞轮和电动机会逐渐减速是什么原因？
11. 压塌块起什么作用？一般设置在压力机的什么部位？
12. 拉深垫有何作用？何谓拉深垫锁紧装置？
13. 打料横杆如何起顶料作用？如何调节其打料行程？
14. 选择压力机时，要考虑哪些问题？
15. 压力机上安装模具的一般步骤是什么？

# 第4章 液 压 机

## 4.1 概　述

### 4.1.1 液压机的工作原理

　　液压机的基本工作原理是静压传递原理（即帕斯卡原理），它是利用液体的压力能，靠静压作用使工件变形，或使物料压制成型的压力机械，因为它传递能量的介质为液体，故称为液压机。

　　液压机的工作介质主要有乳化液和油两种，采用乳化液的一般称为水压机，采用油的称为油压机，两者统称为液压机。乳化液由 2%的乳化脂和 98%的软水搅拌混合而成，它具有较好的防腐蚀和防锈性能，并有一定的润滑作用。乳化液价格便宜、不燃烧、不易污染工作场地，故耗油量大的以及热加工用的液压机多为水压机。油压机应用的工作介质多为机械油，有时也采用透平机油或其他类型的液压油。在防腐蚀、防锈和润滑性能方面，油优于乳化液。但油的成本高，也易污染工作场地。

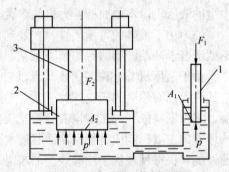

图 4-1　液压机工作原理图

1—小柱塞；2—大柱塞；3—制件

　　液压机的工作原理如图 4-1 所示。两个充满工作液体的具有柱塞或活塞的容腔由管道相连接，当小柱塞上作用的力为 $F_1$ 时，根据帕斯卡原理，在密闭的容器中，液体压力在各个方向上是相等的，压力将传递到容腔的每一点。因此，在大柱塞 2 上将产生向上的作用力 $F_2$，迫使制件 3 变形，且 $F_2 = F_1 \cdot A_2/A_1$。$A_1$、$A_1$ 分别为小柱塞 1 和大柱塞 2 的工作面积。显然，只要施加于小栓塞上一个较小的力，便可在大柱塞上获得一个很大的力。例如，Y32—300 液压机，高压泵提供压力油的压力为 20MPa，液压缸的工作活塞直径为 440mm，则工作活塞能获得 3 000kN 的作用力。

### 4.1.2 液压机的特点

　　液压机与机械压力机比较有如下特点。

　　（1）容易获得最大压力。由于液压机采用液压传动静压工作，动力设备可以分别布置，可以多缸联合工作，因而可以制造很大吨位的液压机，如 700 000kN 模锻水压机。但大的锻锤工作时有振动，需要有很大的砧座与地基用于防震，并且曲柄压力机受到曲柄连杆强度的限制，因而不易造得很大。

（2）容易获得大的工作空间。液压机没有庞大的机械传动机构，而且工作缸可以任意布置，所以工作空间较大，这对于组织流水生产等均较为方便。

（3）容易获得很大的工作行程，并能在行程的任意位置发挥全压。液压机的名义压力与行程无关，而且可以在行程中的任何位置上停止和返回。这样，对要求工作行程长的工艺（如深拉深）以及安装模具、预压、分次装料或发生故障进行排除都十分方便。

（4）压力与速度可以在大范围内方便地进行无级调节。一般三缸液压机能很容易得到 3 级不同压力。若将高压液体通入中间工作缸，则得到一级压力；通入两侧工作缸得到二级压力；3 个工作缸同时通入高压液，就得到全压。而且按工艺要求可以在某一行程作长时间的保压，又由于能可靠地控制液压，因而能可靠地防止过载。另外，还便于调速，如慢速合模避免冲击等。

（5）液压元件已通用化、标准化、系列化。这些给设计和制造液压机带来方便，并且液压操作方便，便于实现遥控与自动化。

液压机也存在一些缺点，当前还存在的主要问题如下所述。

（1）由于采用高压液体作为工作介质（机械油或乳化液），因而对液压元件精度要求较高，结构比较复杂，机器的调整维修比较困难，而且目前液体的泄漏问题还难以避免，不但污染工作环境、浪费压力油，对于热加工场所还有发生火灾的危险。

（2）液体流动时存在压力损失，因而效率较低，尤其是高速运动时效率更低，所以快速小型的液压机，不如曲柄压力机简单灵活。

（3）由于液体的可压缩性，在快速卸载时容易在本体或液压系统中产生振动，故液压机不太适合于冲裁、剪切等切断类工艺。

由于液压机具有许多优点，所以它在工业生产中得到广泛应用，尤其在锻造、冲压生产中的应用已有悠久的历史，对于大件热锻、大件拉深更显其优越性。随着塑料工业的迅速发展，它在塑料成型加工中也占有很重要的位置，是加工热固性塑料、橡胶制品以及四氟乙烯冷坯等的主要压制成型机械，而且能加工长玻璃纤维和片状填料的热固性塑料，其制品的物理性能和机械性能优于注射成型的制品。此外，它在粉末冶金生产和打包、压装等方面都得到广泛应用。

### 4.1.3　液压机的分类

液压机广泛应用于国民经济的各个部门，是锻压机械的一类。随着液压机应用范围的扩大，其类型也逐渐增多，但为了操作方便，多为立式结构。一般按下列几种方法分类。

1. 按用途分

（1）锻造液压机：用于自由锻造、钢锭开坯以及有色与黑色金属模锻。

（2）冲压液压机：用于各种板材冲压。

（3）压制液压机：用于粉末冶金、塑料压制成型等。

（4）挤压液压机：用于挤压各种有色金属和黑色金属的线材、管材、棒材及型材。

（5）校正压装液压机：用于零件校形及装配。

（6）层压液压机：用于胶合板、刨花板、纤维板及绝缘材料板等的压制。

（7）一般小型液压机：用于压制、压装等一般工艺。

（8）一般用途液压机：各种万能式通用液压机。

（9）打包、压块液压机：用于将金属切屑等压成块及打包。

（10）其他液压机：包括轮轴压装、电缆包装、冲孔等各种其他用途的液压机。

**2. 按机身结构分**

（1）柱式液压机：液压机的上横梁与下横梁（工作台）的连接采用立柱，由锁紧螺母上下锁紧。压力较大的液压机多为四立柱结构，机器稳定性好，采光情况也较好（图 4-2）。

（2）整体框架式液压机：这种液压机的机身由铸造或型钢焊接而成，一般为空心箱形结构，抗弯性能较好，立柱部分做成矩形截面，便于安装平面可调导向装置。立柱也有做成"⊓"形的，以便在内侧空间安装电气控制元件和液压元件。整体框架式机身在塑料制品和粉末冶金、薄板冲压液压机中获得广泛应用。图 4-3 所示为由两个槽钢作主体焊接成的框架式机身结构，机身的左右内侧装有两对可调节的导轨，活动横梁的运动精度由导轨来保证，运动精度较高。

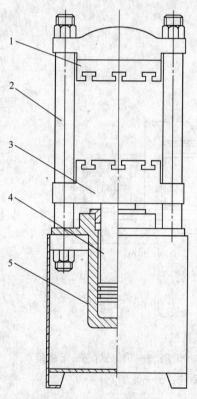

图 4-2　下压式液压机

1—上横梁；2—立柱；3—活动横梁；

4—活塞杆；5—工作缸

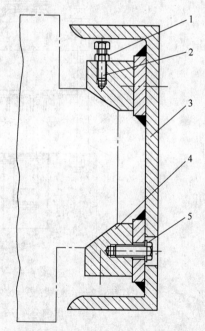

图 4-3　整体框架式液压机的机身结构

1—紧固螺母；2—调节螺栓；3—墙板；

4—导轨；5—固定螺栓

**3. 按动作方式分**

（1）下压式液压机：如图 4-2 所示，它的工作缸装在机身下部，上横梁固定在立柱上不动，当柱塞上升时带动活动横梁上升，对工件施压。开模时，柱塞靠自重复位。下压式液压机的重心位置比较低，稳定性好。此外，由于工作缸装在下面，在操作中制品可避免漏油污染。

（2）上压式液压机：这种液压机的工作缸安设在机身上部（图4-4），活塞从上向下移动对工件（或物料）加压。这种液压机的装料工序可在固定的工作台上进行，操作方便，而且容易实现快速下行，应用最广。

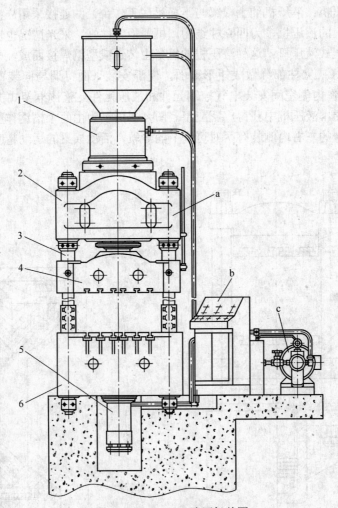

图 4-4　Y32—300 液压机总图

1—工作缸；2—上横梁；3—立柱；4—活动横梁；5—顶出缸；6—下横梁

a—本体部分；b—操纵控制系统；c—动力部分

（3）特种液压机：如角式液压机、卧式液压机等。

4．按传动形式分

（1）泵蓄能器传动液压机：这种液压机的高压液体采用集中供应的办法，这样可节省资金，提高液压设备的利用率，但需要高压蓄能器和一套中央供压系统以平衡低负荷和负荷高峰时对高压液体的需要。这种形式在使用多台液压机（尤其多台大中型液压机）的情况下，无论在技术或经济上都是合理可行的。

（2）泵直接传动液压机：这种液压机是每台液压机单独配备高压泵，中小型液压机多为这种传动形式。

5．按操纵方式分

按操纵方式分为手动液压机、半自动液压机和全自动液压机。

目前使用较多的是下压式泵直接传动半自动和手动的柱式或框架式液压机。对层压机一般采用下压式液压机。

### 4.1.4　液压机的技术参数及型号

液压机的技术参数是根据它的工艺用途和结构特点确定的，它反映了液压机的工作能力和特点，是设计和选用液压机的重要依据。液压机的主要参数如下所述。

1．公称压力

公称压力是指液压机名义上能产生的最大力，在数值上等于工作液体压力和工作柱塞总工作面积的乘积，它反映了液压机的主要工作能力。一般大中型液压机将公称压力分为两级或三级，泵直接传动的液压机不分级。

2．工作液压力

影响最大总压力的因素除工作缸径大小以外，还有工作液压力。工作液压力不宜过低，否则不能满足液压机最大总压力的需要。反之，工作液压力过高，液压机密封难以保证，甚至会损坏液压密封元件。目前国内塑料液压机所用的工作液压力为 16MPa、30MPa、32MPa、50MPa 等，最常用 32MPa 左右的工作液压力。

3．最大回程力

液压机活动横梁在回程时要克服各种阻力和运动部件的重力。液压机的最大回程力为最大总压力的 20%～50%。

4．升压时间

升压时间也是液压机的一个重要参数，因为热固性塑料压制过程不仅需要液压机有足够的压力，且当塑料流动性最好时，要求压力能迅速上升到所需要的值，以保证熔料充满模腔，得到满意的制品。目前，最大总压力为 5 000kN 以下的塑料液压机，其升压时间均要求在 10s 以内。

其他技术参数如最大行程、活动横梁运动速度、活动横梁与工作台之间最大距离等，参见表 4-1、表 4-2 和表 4-3。

液压机型号表示方法如下：

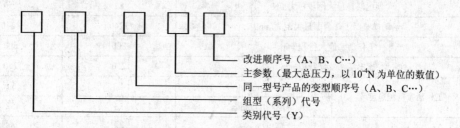

例如，Y32A—315 表示最大总压力为 3 150kN、经过一次变型的四柱立式万能液压机，其中 32 表示四柱式万能液压机的组型代号。

表 4-1　　　　　　　　　　　部分国产塑料液压机的性能参数

| 液压机型号 | YX—45 | YA71—45 | Y71—63 | YX—100 | Y71—100 | Y32—100 | Y71—160 | SY—250 | YA71—250 | Y71—300 | Y71—500 | YA71—500 |
|---|---|---|---|---|---|---|---|---|---|---|---|---|
| 标称压力/kN | 450 | 450 | 630 | 1000 | 1000 | 1000 | 1600 | 2500 | 2500 | 3000 | 5000 | 5000 |
| 液体最大工作压力/MPa | 32 | 32 | 32 | 32 | 32 | 26 | 32 | 30 | 30 | 32 | 32 | 32 |
| 最大回程力/kN | 70 | 60 | 200 | 500 | 200 | 306 | 630 | 1250 | 1000 | 1000 | — | 1600 |
| 活塞最大行程/mm | 250 | 250 | 350 | 380 | 380 | 600 | 500 | — | 600 | 600 | 600 | 600 |
| 活动横梁距工作台最小距离/mm | 80 | | | 270 | 270 | — | | 600 | — | 600 | — | — |
| 活动横梁距工作台最大距离/mm | 330 | 750 | 750 | 650 | 650 | 845 | 900 | 1200 | 1200 | 1200 | 1400 | 1400 |
| 最大顶出力/kN | — | 120 | 200 | 200 | 200 | 184 | 500 | 340 | 630 | 500 | 1000 | 1000 |
| 活塞行程速度/（mm/s）　低压下行 | | | 70 | 23 | 73.2 | — | 65 | 70 | 50 | 46 | 31.5 | 25 |
| 活塞行程速度/（mm/s）　高压下行 | | 2.9 | <15 | 1.4 | 1.4 | 23 | 1.5 | 2.9 | 2 | 1.75 | 21 | 1 |
| 活塞行程速度/（mm/s）　低压回程 | | | 75 | 46 | 60 | | 65 | 70 | 50 | 46 | 37 | 25 |
| 活塞行程速度/（mm/s）　高压回程 | | 18 | <16 | 2.8 | 2.6 | 50 | 3 | 5.8 | 3.7 | 3.5 | 2.5 | 2.5 |
| 顶出速度/（mm/s）　低压顶出 | | | 90 | | 60 | | 85 | | | | 90 | |
| 顶出速度/（mm/s）　高压顶出 | | 10 | <20 | | 2.6 | | 84 | | | | 80 | |
| 顶出速度/（mm/s）　低压回程 | | | 110 | | | | | | | | 110 | |
| 顶出速度/（mm/s）　高压回程 | | 35 | <30 | | | 134 | 30 | | | | 11 | 1 |
| 电动机功率/kW | 1.1 | 1.5 | 3 | 1.5 | 2.2 | 10 | 7.5 | | 10 | 10 | 17 | 13.6 |
| 工作台尺寸/mm | 400×360 | 400×360 | 600×600 | 600×600 | 600×600 | 700×580 | 700×700 | 1000×1000 | 1000×1000 | 900×900 | 1000×1000 | 1000×1000 |
| 外形尺寸/mm | 1050×610×2180 | 1400×740×2180 | 2532×1270×2645 | 1400×970×2478 | 1560×880×2470 | 1400×1100×3400 | 1950×1700×3350 | 2650×1000×3700 | 2420×1910×3660 | 2613×2540×3760 | 1800×2800×4270 | 2580×1910×4930 |
| 机器重量/t | 1.2 | 1.17 | 3.5 | 1.5 | 2 | 3.5 | 4 | 8 | 9 | 8 | 14 | 14 |

表 4-2　　　　　　　　　Y32—300 与 YB32—300 液压机的主要技术参数

| 序号 | 项　目 | | 型　号 | |
|---|---|---|---|---|
| | | | Y32—300 | YB32—300 |
| 1 | 标称压力/kN | | 3000 | 3000 |
| 2 | 液压量大工作压力/MPa | | 20 | 20 |
| 3 | 工作活塞最大回程压力/kN | | 400 | 400 |
| 4 | 顶出活塞最大顶出力/kN | | 300 | 300 |
| 5 | 顶出活塞最大回程压力/kN | | 82 | 150 |
| 6 | 活动横梁距工作台面最大距离/mm | | 1240 | 1240 |
| 7 | 工作活塞最大行程/mm | | 800 | 800 |
| 8 | 顶出活塞最大行程/mm | | 250 | 250 |
| 9 | 工作活塞行程速度 | 压制/（mm/s） | 4.3 | 6.6 |
| | | 回程/（mm/s） | 33 | 52 |
| 10 | 顶出活塞行程速度 | 顶出/（mm/s） | 48 | 65 |
| | | 回程/（mm/s） | 100 | 138 |
| 11 | 立柱中心距离（前后×左右）/mm | | 900×1400 | 900×1400 |

续表

| 序号 | 项 目 | | 型 号 | |
|---|---|---|---|---|
| | | | Y32—300 | YB32—300 |
| 12 | 工作台有效尺寸（前后×左右）/mm | | 1210×1140 | 900×1400 |
| 13 | 工作台距地面高度/mm | | 700 | 700 |
| 14 | 高压泵 | 工作压力/MPa | 20 | 20 |
| | | 流量/（L/min） | 40 | 63 |
| 15 | 电动机 | 型号 | JO2—64—4 | JO2—72—6 |
| | | 功率/kN | 17 | 22 |
| 16 | 外形尺寸（前后×左右×高）/mm | | 1235×7580×5600 | 2000×3400×5600 |
| 17 | 主机重量/t | | ～15 | |
| 18 | 总重量/t | | ～15.6 | ～16 |
| 19 | 生产厂 | | 天津（广州）锻压厂 | 天津锻压厂 |

**表 4-3**          国内锻造液压机的主要参数

| 序号 | 项 目 | | 1250 型 | 1600 型 | 2500 型 | 3150 型 | 6000 型 | 12500 型 |
|---|---|---|---|---|---|---|---|---|
| 1 | 标称压力/kN | | 12500 | 16000 | 25000 | 31500 | 60000 | 125000 |
| 2 | 液压机形式 | | 四立柱式上传动 | | | | | |
| 3 | 传动形式 | | 泵蓄能器 | | | | | |
| 4 | 压力分级/kN | | 6500/12500 | 8000/16000 | 8000/16000/25000 | 16000/31500 | 20000/40000/60000 | 41800/83600/125000 |
| 5 | 工作介质 | | 乳化液 | | | | | |
| 6 | 介质压力 | 高压/MPa | 32 | | | | | |
| | | 低压/MPa | 0.6～0.8 | | | | | |
| 7 | 回程力/kN | | 1250 | 1300 | 3100 | 3400 | 6500 | 10800 |
| 8 | 净空距/mm | | 2680 | 2800 | 3900 | 4000 | 6000 | 7000 |
| 9 | 立柱 | 中心距/mm | 2200×1100 | 2400×1200 | 3400×1600 | 3500×1800 | 5200×2300 | 6300×3450 |
| | | 直径/mm | φ300 | φ330 | φ470 | φ520 | φ690 | φ890 |
| 10 | 工作台尺寸/mm | | 3000×1500 | 400×1500 | 5000×2000 | 6000×2000 | 9000×3400 | 10000×4000 |
| 11 | 最大行程/mm | | 1250 | 1400 | 1800 | 2000 | 2600 | 2600 |
| 12 | 活动横梁速度/（mm/s） | 空程 | 300 | 300 | 300 | 300 | 250 | 250 |
| | | 加压 | ～150 | ～150 | ～150 | ～150 | ～75 | ～70 |
| | | 回程 | 300 | 300 | 300 | 300 | 250 | 250 |
| 13 | 锻造次数 | 常锻 行程/mm | 165 | 165 | 200 | 200 | 300 | 275 |
| | | 常锻 次数/（次/min） | ～16 | ～16 | 8～10 | 8～10 | 5～7 | 5～6 |
| | | 精整 行程/mm | 40 | 30 | 50 | 50 | 50 | 50 |
| | | 精整 次数/（次/min） | ～60 | ～60 | 35～45 | ～40 | ～25 | ～20 |
| 14 | 最大偏心距/mm | | 100 | 120 | 200 | 200 | 200 | 250 |
| 15 | 工作台移动力/kN | | 250 | 350 | 400 | 1000 | 2250 | 3000 |
| 16 | 工作台行程/mm | 左 | 1500 | 1500 | 2000 | 2000 | 6000 | 7000 |
| | | 右 | 1500 | 1500 | 2000 | 2000 | 6000 | 7000 |

| 序号 | 项 目 | | | 1250 型 | 1600 型 | 2500 型 | 3150 型 | 6000 型 | 12500 型 |
|------|-------|---|---|---------|---------|---------|---------|---------|----------|
| 17 | 工作台移动速度/（mm/s） | | | ～200 | ～200 | ～200 | ～200 | ～150 | ～150 |
| 18 | 工具提升形式 | | | | | 有工具提升缸 | | 剁刀操作机 | |
| 19 | 设备外形尺寸 /mm | 地面高度 | | ～7730 | ～8350 | ～11200 | ～11200 | ～15700 | ～18310 |
| | | 地下深度 | | ～3640 | ～4000 | ～5650 | ～5000 | ～7000 | ～6130 |
| | | 平面 尺寸 | 最宽 | ～9500 | ～12600 | ～14760 | ～17000 | ～38950 | ～76000 |
| | | | 最长 | ～15200 | ～15200 | ～26360 | ～21760 | ～49600 | ～52200 |
| 20 | 设备总重（不含泵站）/t | | | ～130 | ～230 | ～511 | ～560 | ～1860 | ～2764 |
| 21 | 最大件重量/t | | | 30 | 35 | 43 | 49 | 120 | 96 |
| 22 | 锻造 能力 | 最粗最大钢锭/t | | 4 | 6 | 24 | 30 | 80 | 150 |
| | | 拔长最大钢锭/t | | 10 | 12 | 45 | 50 | 150 | 300 |

# 4.2  液压机的结构

尽管液压机类型繁多，但机器的结构一般均由机器的本体部分、操纵部分和动力部分 3 个基本部分组成，下面以 Y32—300 万能液压机为例予以介绍。

图 4-4 所示为 Y32—300 液压机总图，其本体部分为三梁四柱式结构。

## 4.2.1  本体部分

机器的本体部分包括机身、工作缸与工作活塞、活动横梁、顶出机构等。

1. 机身

Y32—300 液压机机身属于四立柱机身（见图 4-5）。目前四立柱机身在液压机上应用较广泛（我国自行设计与制造的具有世界先进水平的 120 000kN 大型水压机也是采用四立柱结构的机身）。四立柱机身由上横梁、下横梁和 4 根立柱组成，每根立柱都有 3 个螺母分别与上下横梁紧固连接在一起，组成一个坚固的受力框架。

液压机的各个部件都安装在机身上，其中上横梁的中间孔安装工作缸，下横梁的中间孔安装顶出缸。活动横梁靠 4 个角上的孔套装在四立柱上，上方与工作缸的活塞相连接，由其带动活动横梁上下运动。为防止活动横梁过度降落，导致工作活塞撞击工作缸的密封装置，在 4 根立柱上各装一个限位套，限制活动横梁下行的最低位置。上下横梁结构相似，采用铸造方法，铸成箱体结构。下横梁（工作台）的台面上开有 T 型槽，供安装模具用。

机身在液压机工作过程中承受全部的工作载荷，立柱是重要的受力构件，又兼作活动横梁的运行导轨，所以要求机身应具有足够的刚度、强度和制造精度。

2. 工作缸与工作活塞

工作缸采用活塞式双作用液压缸（见图 4-6），靠缸口凸肩与螺母紧固在上横梁内。在工作缸上部装有充液阀和充液油箱。活塞上设有双向密封装置，把工作缸分成上下腔，在下部缸端盖装有导向套和密封装置，并借法兰压紧，以保证下腔的密封。活塞杆下端车有螺纹，靠螺钉与活动横梁刚性连接。

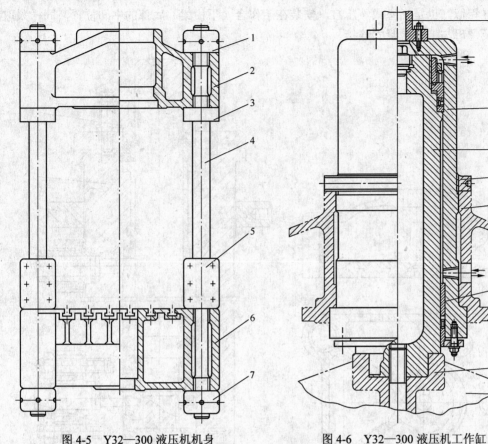

图 4-5　Y32—300 液压机机身
1、3、7—螺母；2—上横梁；4—立柱；
5—限位套；6—下横梁

图 4-6　Y32—300 液压机工作缸
1—充液阀接口；2—工作缸缸筒；3—活塞杆；4—螺母；
5—上横梁；6—导向套；7—凸肩；8—活动横梁

当压力油从缸上腔进入时，缸下腔的油液排至油箱，活塞带动活动横梁向下运动，其速度较慢，压力较大。当压力油从油缸下腔进入时，缸上腔的油液便排入油箱，活塞向上运动，其运动速度较快，压力较小，这正好符合一般慢速压制和快速回程的工艺要求，并提高生产率。

Y32—300 液压机只有一个工作缸，对于大型且要求压力分组的液压机可采用 3 个工作缸。液压机的工作缸在液压机工作时承受很高的压力，因而必需具有足够的强度和韧性，同时还要求组织致密。目前生产工作缸常用的材料有铸钢、球墨铸铁和合金钢，直径较小的液压缸还可以采用无缝钢管。

3．活动横梁

活动横梁是立式液压机的运动部件，它位于液压机本体的中间。活动横梁的结构如图4-7 所示，为减轻重量又能满足强度要求，采用 HT200 整铸成箱体结构，其中间的圆柱形孔用来与上面的工作活塞连接，四角的圆柱形孔内装有导向套，在工作活塞的带动下，活动横梁靠立柱导向作上下运动。在活动横梁的底面同样开有"T"型槽，用来安装模具。

4．顶出机构

为顶出工件，设有工件的顶出机构。Y32—300 液压机采用顶出缸，如图 4-8 所示，其结构与工作缸相似，也是活塞式液压缸，安装在工作台（下横梁）底部的中间位置，同样采取缸的凸肩及螺母与工作台紧固连接。

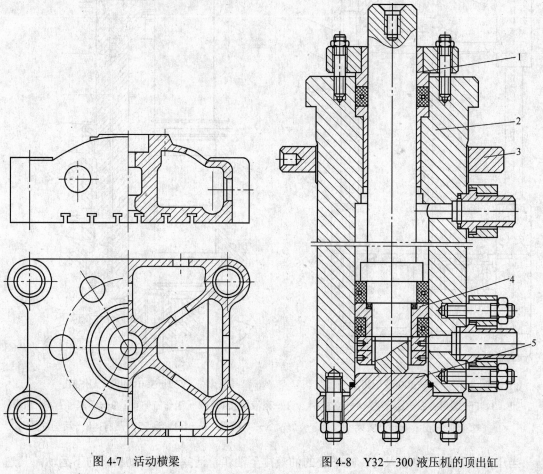

图 4-7　活动横梁

图 4-8　Y32—300 液压机的顶出缸

1—活塞杆；2—顶出缸缸筒；3—螺母；4—活塞；5—缸盖

## 4.2.2　动力部分——高压泵

液压机的动力部分为高压泵，它将机械能转变为液压能，向液压机的工作缸与顶出缸提供高压液体。Y32—300 液压机使用的是卧式柱塞泵。

## 4.2.3　操纵及液压系统

图 4-9 所示为 Y32—300 液压机液压系统图，其所涉及的主要液压元件在系统中的作用如下所述。

（1）泵 11 为 BFW 型偏心柱塞泵，标称压力为 20MPa，标称流量为 40L/min。

（2）阀 1 为溢流阀，调定压力是系统的工作压力 20MPa。当压力超过 20MPa 时，油液通过阀 1 稳压溢流，它是液压系统的第一道保险。

（3）阀 2 为溢流安全阀，调定压力为 22MPa，起限制液压系统最高压力的作用，是液压系统的第二道保险。

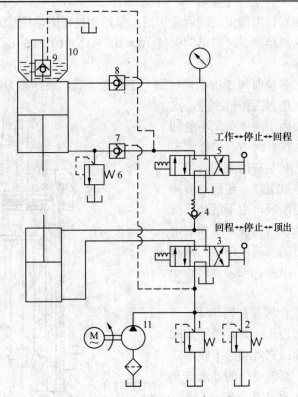

图 4-9  Y32—300 液压机液压系统

1、2、6—溢流阀；3、5—手动换向阀；4—止回阀；7、8—液控止回阀；

9—充液阀；10—充液箱；11—泵

（4）阀 3 和阀 5 分别是顶出缸和工作缸的手动换向阀，两阀作串联连接。这样当阀 3 处于停止位置时，无论阀 5 放在任何位置，压力油都通过阀 3 和中位流回油箱卸荷。这种连接使两个缸起连锁作用，保证工作缸工作与顶出缸顶出不同时动作。

（5）阀 4 为止回阀，调定压力为 $10 \times 10^5 \sim 12 \times 10^5 Pa$，它的作用不仅是保证压力油只能单向通过，而且当油液单向通过时，油压必须等于或大于调定的压力，所以这类阀又称背压阀。

（6）阀 7 为液控止回阀，它在系统中起平衡作用，防止活动横梁产生超前速度，以及使活动横梁稳定地按规定停止在所需要的位置上。

（7）阀 6 为溢流阀，它在系统控制回程时防止工作缸下腔出现超压状态。

（8）阀 8 为液控止回阀，工作时起保压作用，回程时起工作缸上腔先卸压后回程的作用。

（9）充液阀 9 和充液箱 10 在活塞靠自重下行时，用来对工作缸充液，以提高空行程的速度。

Y32—300 液压机的动作程序如下：工作活塞空行程向下运动→工作行程→保压→回程→顶出缸顶出工件，至此完成一次工作循环。在每一工作循环开始之前，顶出油缸必须处在回程位置。为此，首先将控制顶出缸的手动换向阀 3 的手柄转在"回程"位置。

（1）顶出缸回程

将顶出缸的手动换向阀 3 转到"回程"位置，则液压泵输出的压力油通过换向阀 3 右位进入顶出缸上腔。由于止回阀 4 需要 $10 \times 10^5 \sim 12 \times 10^5 Pa$ 的压力才能打开，所以油泵输出的压力油首先使顶出缸回程。当顶出缸回程完毕后，泵输出的压力油便推开止回阀 4，通过工作缸换向阀 5 中位排入油箱，这时泵出口保持 $10 \times 10^5 \sim 12 \times 10^5 Pa$ 的压力。

（2）空行程向下

在顶出缸回程后，将换向阀 5 的手柄转到"工作"位置，泵送压力油经阀 3 右位、阀 4 右位、阀 5 右位、阀 8 进入工作缸上腔，这时工作缸下腔的压力油由于阀 7 关闭不能回油，使进油路压力升高推开阀 7，这样，工作缸下腔油液经阀 7、阀 5 右位流回油箱。泵输出的油液通入工作缸上腔，使活动横梁向下运动。在此空行程阶段，由于活动横梁等的自重作用，其运动速度较快，工作缸上腔形成一定真空度不足的油液，由于充液阀 9 被负压打开，充液箱 10 中的油液就会给予补充。

充液阀的结构和工作原理如图 4-10 所示。充液阀实际上是液控止回阀。当充液阀的控制油口通以压力油或充液阀的下腔形成真空时，阀门被打开，充液箱中的油液与充液阀下腔连通，否则处于关闭状态。

（3）工作行程

从工作活塞运行的方向看，工作行程与空程向下是一样的。在工作行程时，从工艺上要求，施加于活塞向下的压力要大，速度要慢。为此换向阀 5 的手柄仍处在"工作"位置。当空程向下运行、活动横梁上的模具接触工件后，工作缸上腔的负压消失，充液阀自动关闭。工作缸活塞在压力油作用下继续向下运动，对工件加压，此时油液压力可以达到原先调定的压力（此压力决定于溢流阀 1），慢行速度由泵流量控制。

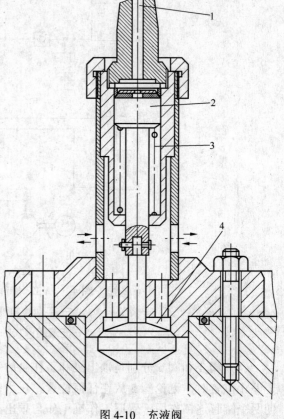

图 4-10　充液阀

1—控制油口；2—活塞；3—弹簧；4—阀门

（4）保压

当工作行程终止后，如果需要对工件继续施压一段时间，就把换向阀 5 的手柄转到"停止"位置，工作缸上腔的压力油会被液控止回阀 8 封闭，产生保压作用，而泵输出的油液通过换向阀 5 排入油箱而卸荷。

（5）回程

将换向阀 5 的手柄放在"回程"位置，则泵输出的压力油就会通入工作缸下腔，同时经控制油路打开液控止回阀 8，使工作缸上腔卸压，此时工作活塞开始以较慢的速度上升，当打开充液阀 9 的大阀门以后，活塞上腔的油液大量排入充液油箱，以实现快速回程。

（6）停止

如果要使活动横梁停止在某一位置上的话，可将换向阀 3 及 5 的手柄中任意一个放在

"停止"的位置，液压泵通过换向阀 3 或阀 5 卸荷，工作活塞下腔的油液被液控止回阀 7 封闭，则工作活塞（活动横梁）就会很稳定地停止在某一位置上。

（7）顶出缸顶出工件

当将换向阀 3 的手柄搬至"顶出"位置时，泵输出的压力油就会通过换向阀 3 进入顶出缸的下腔、上腔回油、驱动顶出活塞上行，则完成顶出工件的动作。

# 4.3　冲压液压机

冲压液压机是用来进行板料的冲裁、弯曲及拉深成型等工序的，由于液压机在压力、行程、速度等参数的调节及过载保护等方面都比较简单易行且可靠，本体结构也不复杂，所以板料冲压液压机得到较大的发展。

冲压液压机的种类较多。按照压制板材的厚度分为薄板冲压和厚板冲压液压机；按作用力方式分为单动和双动冲压液压机；按照液压机本体结构分为单臂式、三梁四柱式、框架式冲压液压机；按传动介质分为以水（乳化液）和油为介质的两大类；按用途又分为通用型液压机、橡皮囊液压机、汽车纵梁液压机、液压板料折弯机、液压剪板机等。

本节讲述双动拉深液压机、单动薄板冲压液压机和汽车纵梁冲压液压机。

## 4.3.1　双动拉深液压机

1. 双动拉深液压机的特点

（1）主机结构。

双动拉深液压机的主机结构除有对通用液压机的要求外，一船工作台面较大。在进行拉深成型时，为了防止拉深坯料周边起皱，必须设有压边力可调的压边装置。在结构上设计成内外两个滑块，实现双重动作，外滑块用于压边，内滑块用于拉深，并能方便地调整滑块的压边力。

（2）液压系统。

双动拉深液压机用于冲孔、落料等剪切工序时，由于材料断裂以及拉深时内外滑块运动停止造成液压机突然卸载将引起剧烈液压冲击振动，甚至造成机件损坏或管道破裂，故应在液压系统中设有必要的液压缓冲装置。

2. 双动拉深液压机的主要技术参数

双动拉深液压机属于液压机类 Y28 系列。其主要技术参数有拉深压力、总压力（总压力为拉深压力和压边压力之和）、顶出压力、拉深滑块行程及外形尺寸、压边滑块行程及外形尺寸、工作台外形尺寸等。部分国产双动薄板拉深液压机的主要技术参数见表 4-4。

表 4-4　　　　　　　部分国产双动薄板拉深液压机的主要技术参数

| 名　　称 | 单　位 | 量　　值 | | | |
|---|---|---|---|---|---|
| | | YA28—160 | YA28—400A | YA28—500 | YB28—630 |
| 总压力 | MN | 2.6 | 6.3 | 8.0 | 10.3 |
| 拉深压力 | MN | 1.6 | 4.0 | 3.15/5.0 | 6.3 |
| 压边压力 | MN | 1.0 | 2.5 | 3.0 | 4.0 |

续表

| 名　　称 | 单位 | 量　值 | | | |
|---|---|---|---|---|---|
| | | YA28—160 | YA28—400A | YA28—500 | YB28—630 |
| 液压垫压力 | MN | — | 1.5 | 1.0 | 2.5 |
| 顶出压力 | MN | — | 0.5 | 1.0 | 0.8 |
| 液体最大工作压强 | ×10⁵Pa | 250 | 250 | 250 | 250 |
| 拉深滑块行程 | mm | 850 | 1100 | 1000 | 1300 |
| 压边滑块行程 | mm | 550 | 1000 | 1000 | 1200 |
| 液压垫行程 | mm | — | 400 | 350 | 400 |
| 最大拉深深度 | mm | 250 | 400 | 320 | — |
| 拉深滑块距工作台面最大距离 | mm | 1130 | 1600 | 1600 | 2200 |
| 压边滑块距工作台面最大距离 | mm | 850 | 1600 | 1600 | 2200 |
| 工作台距地面距离 | mm | 800 | 650 | 500 | 200 |
| 拉深滑块尺寸　左右×前后 | mm | 870×720 | 1970×1250 | 2400×1400 | 2400×1400 |
| 工作台尺寸　左右×前后 | mm | 1400×1250 | 2500×1800 | 3000×2150 | 3200×2200 |
| 液压垫尺寸　左右×前后 | mm | — | 1630×1180 | 2260×1260 | 2300×1300 |
| 移动工作台最大移出距离 | mm | — | 1800 | | 2200 |
| 机器外形尺寸　左右×前后×地面上高 | mm | 5080×2500×5336 | 7840×7020×6600 | 7250×3600×6200 | 8190×7450×7860 |
| 电机总功率 | kW | 53 | 100 | 115.5 | 215 |
| 全机重量 | kg | — | 86800 | 75000 | 215000 |

**3．双动拉深液压机的结构**

（1）典型结构。

图 4-11 所示为组合框架式双动拉深液压机。机架 7 的上下横梁由 4 根主柱支承，通过立柱内的拉杆预紧固定，形成一个封闭的预应力框架，承受冲压变形压力。拉深缸 2 和压边缸 4 均固定于上横梁内，拉深柱塞与拉深动梁 6 连接固定，压边柱塞与压边动梁 5 连接固定。每根立柱有两根可调导轨，分别作为拉深动梁和压边动梁的导向。下横梁上面装有移动工作台，并可前后移动以便更换模具，工作台中部设有若干顶杆孔，在下横梁下部中间装有顶出缸，通过顶杆顶出制件或成型内凹形制件。在拉深动梁 6 和压边动梁 5 的下平面均开有 T 形槽以分别固定上模的凸模部分和压边部分，在工作台的上平面也开有 T 形槽，用于固定下模部分。各厂家生产的双动拉深液压机的 T 形槽规格、槽距及顶杆孔径、孔距尺寸不完全一样，在设计模具时应查阅液压机说明书。不使用顶杆孔时，应用孔盖将其盖好，以免落入杂物或

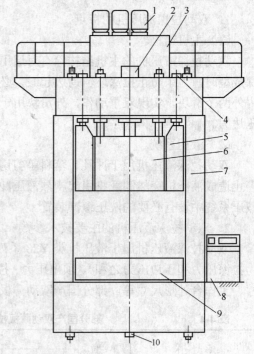

图 4-11　组合框架式双动拉深液压机

1—液压动力机构；2—拉深缸；3—充液装置；4—压边缸；5—压边动梁；6—拉深动梁；7—机架；8—电控装置；9—移动工作台；10—顶出缸

被堵塞。

设计模具时,拉深凸模部分的外形应小于拉深滑块的外形尺寸,模具压边圈部分的外形应小于压边滑块外形,并大于拉深滑块的外形尺寸,并都要留有模具的安装、固定位置。当拉深凸模部分和压边圈部分尺寸较小不便安装时,可设计过渡通用凸模座和过渡通用模板与拉深滑块和压边滑块相连接。

图 4-12 所示为普通的三梁四柱式双动拉深压力机。压边动梁 6 由压边缸 4 驱动用来压边。压边缸固定在拉深动梁 5 上,随拉深动梁一起运动,也有固定在下横梁上单独运动的。拉深动梁和压边动梁靠 4 个立柱分别导向。拉深凸模部分固定在拉深动梁 6 上,穿过压边动梁和模具压边圈中部的孔进行拉深。

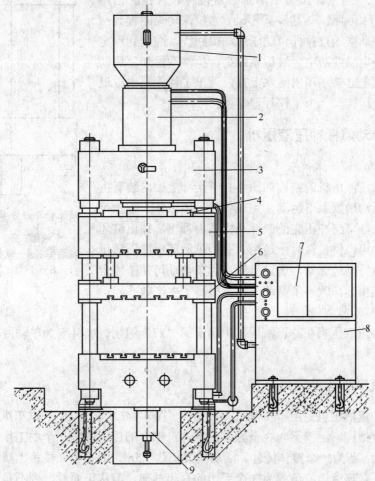

图 4-12 三梁四柱式双动拉深压力机

1—充液罐;2—主缸;3—上横梁;4—压边缸;5—拉深动梁;6—压边动梁;

7—操纵机构;8—液压装置;9—顶出缸

(2)工作过程。

双动拉深液压机的工作过程,即拉深动梁、压边动梁及顶出缸的工作顺序由液压系统控制,其工作过程如下。

液压动力机构的电动机启动，液压泵在卸荷状态下工作→拉深动梁和压边动梁在自重下快速下行→当压边动梁接近毛坯时，触动行程开关，液压泵主缸驱动，使拉深动梁和压边动梁慢速下行→当压边圈与毛坯接触时压边动梁停止运动，并由压边缸施压压边力，保持至拉深结束，其压边力可以调节→在压边动梁停止下行后，拉深动梁带动拉深凸模继续下行，到实现拉深成型完成→在拉深成型时，由于拉深动梁、压边动梁的运动突然停止和加载后的突然卸载造成的液压冲击，引起压力冲击和管道振动，通过液压缓冲装置使主缸压力经卸荷阀逐渐卸压避免液压冲击→当主卸压力下降到一定位置时（拉深已结束），拉深动梁开始回程，压边动梁不动，当拉深动梁回程到一定位置时，拉深动梁通过拉杆带动压边动梁回程，回程到预定位置行程开关使电磁铁断电，液压泵卸荷，拉深动梁和压边动梁停止回程→顶出缸带动顶出活塞上升，顶出工件→顶出缸退回，电动机停止运转，一个工作行程结束。

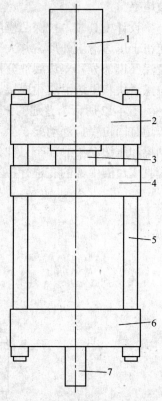

图 4-13 单动薄板冲压液压机
1—充液罐；2—上梁；3—主缸及活塞；4—动梁；5—立柱；6—下梁；7—顶出缸

### 4.3.2 单动薄板冲压液压机

**1．典型结构**

单动薄板冲压液压机的结构如图 4-13 所示。上梁内装有主工作缸，带动活动横梁上下运动，完成各种冲压工作。下横梁下部装有顶出缸，可将冲压完的制件从模具内顶出。顶出缸还可起到液压垫作用，供拉深时压边用。有的单动薄板冲压液压机的下梁内由液压马达驱动，通过齿轮、齿条传动可使工作台移动，便于更换模具，改善了劳动条件，提高了生产效率。

**2．型号及技术参数**

单动薄板冲压液压机在冲压液压机中属于第"27"组别，表 4-5 为单动薄板冲压液压机的技术参数。

### 4.3.3 汽车纵梁冲压液压机

汽车纵梁冲压液压机是用于压制汽车大梁的。图 4-14 为 40.0MN 的汽车纵梁液压机，它为六立柱式组合结构，上横梁为 3 个独立的部件，每个部件上各装一个主工作缸，活动横梁和底座（下横梁）各为一个整体铸件，活动横梁长达 9.5m，由 6 个立柱将上横梁和底座连成一体。从侧面看，该液压机可视为 3 个受力的封闭框架，但从正面看，则不是一个整体框架结构，因此不能承受偏载。底座下部装有顶出缸，上横梁上装有回程缸。

压制时，两侧液压缸先投入工作，将板料压入下模槽腔进行弯曲。当开始校形时，中间液压缸再投入工作，液压机发挥最大的工作压力。为避免纵梁弯曲时液压机承受偏心载荷，该机设置了活动横梁调平装置，调平装置工作原理方框图如图 4-15 所示。调平装置以被弯曲坯料的上表面为基准，工作前按活动横梁的下移速度要求，调节两个比例流量阀，保证活动横梁按给定速度平行下移。当弯曲凸模接触坯料上表面时，调平装置显示为零。当凸模继续下移时，负载不均匀使活动横梁倾斜，活动横梁两端的位移误差信号由位移传感器检测后经电控器反馈给比例流量阀，改变各工作缸的流量，使两端的运动速度误差减小，直至活动横梁平行下移为止。调平装置可保证活动横梁在 9.5m 长度上，两端位移差仅为 0.5mm。

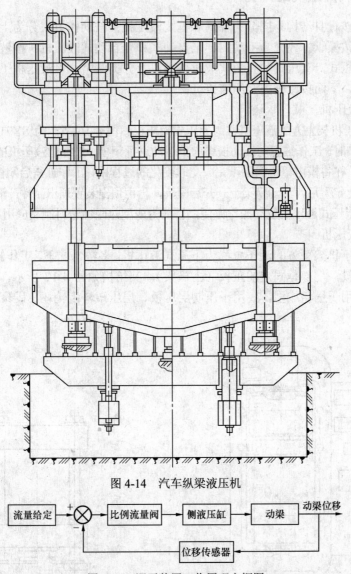

图 4-14　汽车纵梁液压机

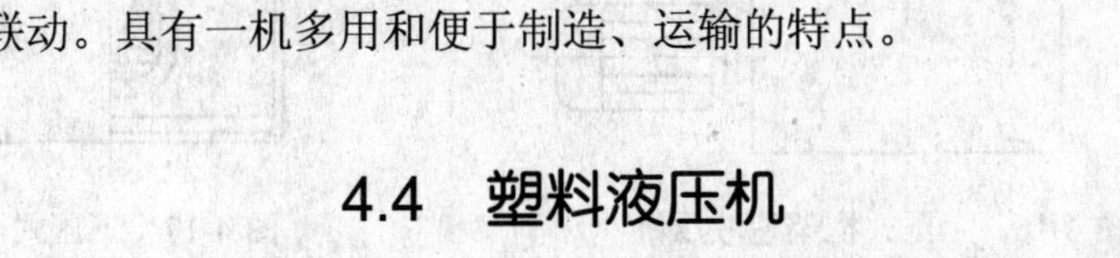

图 4-15　调平装置工作原理方框图

　　另外，有的国产的汽车纵梁液压机把 3 台四柱式液压机排列在一起，可进行单缸动作、两缸联动和三缸联动。具有一机多用和便于制造、运输的特点。

## 4.4　塑料液压机

　　塑料液压机是热固性塑料压缩和压注成型所用的主要设备。由于压制成型具有成型压力低、设备简单、能适应多品种生产的特点，以及近年来大幅度发展的增强塑料主要用此法成型，因此压制成型被广泛应用。

### 4.4.1 塑料液压机的分类

塑料液压机按机身结构不同分为柱式和框式液压机；按动作方式分为上压式、下压式和双压式液压机；按操纵方式分为手动式、半自动式和全自动式液压机；按液压机工作缸位置分为上压式、下压式，双压式和直角式液压机。以上分类法中，以液压机工作缸位置的分类法用得较为广泛，下面按此分类介绍液压机。

1. 上压式液压机

工作油缸位于机架上方的液压机称为上压式液压机。图 4-16 所示为 SY71—45 型上压式框架型液压机。生产时，工作缸驱动活动横梁向下运动进行闭模，最终把液压机的压力传递给模具并作用在塑料上。在将模内塑料保压以完成交联硬化的过程中，工作缸需启闭模具数次，排除模内气体，制件硬化定型后，活动横梁上升开启模具，再由顶出装置顶出制件，清理模具后进行下一轮生产。由于上压式液压机生产操作方便，目前为成型热固性塑料制品应用最为广泛的设备。

2. 下压式液压机

工作油缸位于机架下方的液压机称为下压式液压机。多数情况下，工作缸带有差动活塞，以保证闭模和开模，上部是固定的压板（上横梁），其结构如图 4-17 所示。下压式液压机因操作不便，很少用于压塑成型，仅用于压制层压板、层压塑料齿轮坯、硬聚氯乙烯板等。

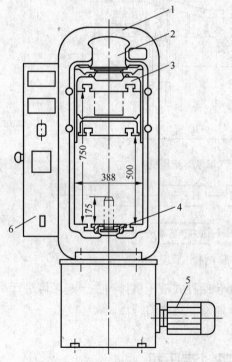

图 4-16　上压式框架型液压机

1—机身；2—工作缸；3—活动横梁；

4—顶出缸；5—电机；6—电器箱

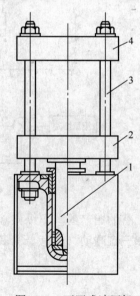

图 4-17　下压式液压机

1—工作缸；2—活动工作台；

3—立柱；4—固定工作台

### 3. 双压式液压机

图 4-18 所示为双压式液压机，它的结构特点是有上下两个工作压缸，这两个工作压缸中的活塞所产生的压力按相反方向互相作用。两个压缸中，一个用来闭合锁紧模具，称为主缸；另一个用来把模具加料室中的塑料挤入模腔，称为辅助缸。主缸的压力要比辅助缸大得多，以防溢料。这种液压机主要用于固定式压注模生产塑料制件。

### 4. 直角式液压机

图 4-19 所示为一种直角式液压机的外形图。这种液压机中的主要零件用机架 3 固定，上压缸 1 和旁压缸 5 互相垂直，上压缸供压制塑料用，而旁压缸供开闭模具用，下部还设有顶出缸，供顶出制件用。

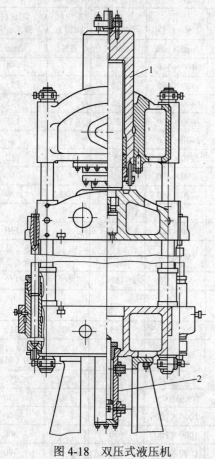

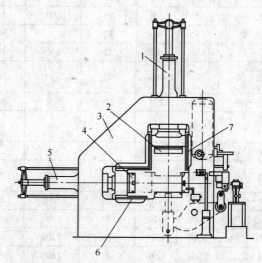

图 4-18　双压式液压机

1—上油缸；2—下油缸

图 4-19　直角式框架型液压机

1—上压缸；2—上活动板；3—机架；4—下活动板；

5—旁压缸，6—下导轨；7—上导轨

具有侧凹的塑料制件，用整体式模具是无法将其取出的，因此必须将模具做成横向可拆的形式，但这种模具在普通上压式液压机上成型带侧凹的大制件时，用手工拆开大模具取出制件的劳动很繁重，且难以用手工分开。为此采用这种直角式液压机成型带有侧凹的复杂制件。

## 4.4.2　塑料制品液压机的主要技术参数

塑料制品液压机在锻压机械标准 ZBJ62030—1990 中属于液压机类，类别代号为"Y"，塑料制品液压机在液压机中属"71"组型，即 Y71 系列。另外，一般用途液压机也可用于压制塑料制品，常见的有 Y31 系列双柱液压机、Y32 系列四柱液压机、Y33 系列四柱上移式液压机。

在塑料压制成型过程中，不仅需要液压机产生足够的压力，而且当被压制的塑料正处在粘度最低、流动性最好时，要求液压机的压力能迅速达到最大值，这样才能保证塑料充满模腔，得到满意的制件。因此液压机工作压力必须能在一定的时间内升高到所需数值。目前中小型塑料液压机的升压时间大约在 10s 以内。

表 4-5 为部分国产塑料制品液压机的型号及主要技术参数。

**表 4-5**        **部分国产塑料制品液压机的型号及主要技术参数**

| 常用液压机型号 | 液压部分 | | | 活动横梁、工作台部分 | | | 顶出部分 | | |
|---|---|---|---|---|---|---|---|---|---|
| | 公称压力 | 回程压力 | 工作液最大压力 | 动梁至工作台最大距离 | 动梁最大行程 | 动梁、工作台尺寸 | 顶出杆最大顶出力 | 顶出杆回程力 | 顶出杆最大行程 |
| | /kN | /kN | /MPa | /mm | /mm | /mm×mm | /kN | /kN | /mm |
| 45—58 | 450 | 68 | 32 | 650 | 250 | 400×360 | | | 150 |
| YA71—45 | 450 | 60 | 32 | 750 | 250 | 400×360 | 120 | 35 | 175 |
| YA71—45A | 450 | 60 | 32 | 750 | 250 | 400×360 | 120 | | 175 |
| SY71—45 | 450 | 60 | 32 | 750 | 250 | 400×360 | 120 | 35 | 175 |
| YX（D）—45 | 450 | 70 | 32 | 330 | 250 | 400×360 | | | |
| Y32—50 | 500 | 105 | 20 | 600 | 400 | 790×490 | 75 | 37.5 | 150 |
| YB32—63 | 630 | 133 | 25 | 600 | 400 | 790×490 | 95 | 47 | 150 |
| BY32—63 | 630 | 190 | 25 | 600 | 400 | 790×490 | 180 | 100 | 130 |
| Y31—63 | 630 | 300 | 32 | | 300 | | 3（手动） | | |
| Y71—63 | 630 | 300 | 32 | 600 | 300 | 500×500 | 3（手动） | | 130 |
| YX—100 | 1000 | 500 | 32 | 650 | 380 | 600×600 | 200 | | 165（自动）280（手动） |
| Y32—100 | 1000 | 230 | 20 | 900 | 600 | 900×580 | 150 | 80 | 180 |
| Y71—100 | 1000 | 200 | 32 | 650 | 380 | 600×600 | 200 | | 165（自动）280（手动） |
| Y32—100A | 1000 | 160 | 21 | 850 | | | 165 | 70 | 210 |
| ICH—100 | 1000 | 500 | 32 | 650 | 380 | 600×600 | 200 | | 165（自动）250（手动） |
| Y32—200 | 2000 | 620 | 20 | 1100 | 700 | 1320×760 | 300 | 82 | 250 |
| YB32—200 | 2000 | 620 | 20 | 1100 | 700 | 1320×760 | 300 | 150 | 250 |
| YB71—250 | 2500 | 1250 | 30 | 1200 | 600 | 1000×1000 | 340 | | 300 |
| ICH—250 | 2500 | 1250 | 30 | 1200 | 600 | 1000×1000 | 630 | | 300 |
| SY—250 | 2500 | 1250 | 30 | 1200 | 600 | 1000×1000 | 340 | | 300 |
| Y32—300 | | | | | | | | | |
| YB32—300 | 3000 | 400 | 20 | 1240 | 800 | 1700×1210 | 300 | 82 | 250 |
| Y33—300 | 3000 | | 24 | 1000 | 600 | | | | |
| Y71—300 | 3000 | 1000 | 32 | 1200 | 600 | 900×900 | 500 | | 250 |

### 4.4.3 塑料液压机的液压传动系统

目前，塑料液压机使用较多的是上压式泵直接传动的液压机，而且绝大多数以油为工作介质。图 4-20 所示为 YA71—250 塑料液压机液压系统原理图。该液压系统的动力是靠一台低压大流量齿轮泵 9 和一台高压小流量柱塞泵 10（手动变量泵）来提供的。当主油路的油液经过电液换向阀 6 和单向阀 2 而流进液压缸的上腔时，活动横梁下行。为实现活动横梁的差动快速下行，液压缸下腔的回油通过可调单向阀 3、电液换向阀 6 和单向阀 5 流进液压缸的上腔。

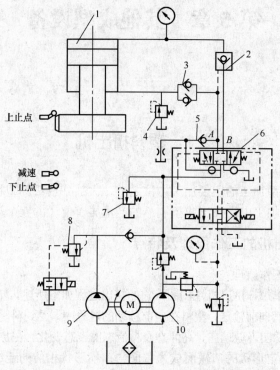

图 4-20　YA71—250 塑料液压机液压系统原理图

1—工作液压缸；2—液控单向阀；3—可调单向阀；4、7、8—溢流阀；

5—单向阀；6—电液换向阀；9—低压齿轮泵；10—高压柱塞泵

当活动横梁下行碰到减速行程开关时，实现低速下行，进入液压缸上腔的油液压力亦逐渐增至压制所需值。液控单向阀 2 起保护作用，一般情况下，停泵保压 10min 之内压力下降不大于 2MPa。开泵保压时间用电接点压力表控制。

压制完毕后开模时，压力油经过电液换向阀流到液压缸的下腔，实现慢速开模，而液压缸上腔的油经过液控单向阀 2 和电液换向阀 6 流回油箱。当动梁上行离开减速行程开关时，齿轮泵和柱塞泵同时供油，实现动梁快速上行。溢流阀 4 起限制高压回程时液压缸下腔压力的作用。

# 思　考　题

1. 液压机的特点有哪些？
2. 液压机的结构有哪些部分组成？各部分的作用是什么？
3. 简述 Y32—300 液压机液压系统的工作原理。
4. 双动拉深液压机的特点是什么？
5. 液压机有哪些主要技术参数？在什么情况下，对升压时间有较严格的要求？

# 第5章 其他成型设备

## 5.1 塑料挤出机

挤出成型是塑料成型加工的主要加工方法之一，大部分热塑性塑料均可用此法加工。据统计，在塑料制品成型加工中，挤出成型制品的产量居首位（占整个塑料制品的一半以上）。

### 5.1.1 塑料挤出机的工作原理及特点

1. 塑料挤出机的工作原理

图 5-1 所示为卧式单螺杆挤出机结构图，它的挤出过程如下所述。塑料从料斗进入挤出机，在螺杆的转动作用下将其向前输送，塑料在向前移动的过程中，受到料筒的加热、螺杆的剪切和压缩作用使塑料熔融，并实现玻璃态、高弹态及粘流态的三态变化。在加压的情况下，使处于粘流态的塑料通过具有一定形状的口模而成为截面与口模形状相仿的连续体。然后通过冷却，使其具有一定几何形状和尺寸，由粘流态变为高弹态，最后冷却定型为玻璃态得到所需的制件。

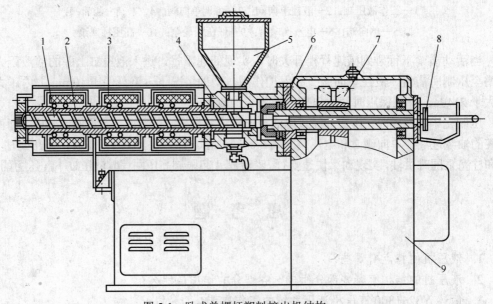

图 5-1 卧式单螺杆塑料挤出机结构

1—螺杆；2—料筒；3—加热器；4—料斗支座；5—料斗；6—推力轴承；

7—传动系统；8—螺杆冷却系统；9—机身

为使塑料挤出成型过程得以进行，一台完好的挤出机组由主机、辅机及控制系统 3 大部分组成。在塑料挤出机生产线上，以挤出机为主，再把机头模具和相应的辅机组合在一起，相互配合、协调工作，共同完成塑料制品的成型。图 5-2 是硬管成型挤出生产线示意图。

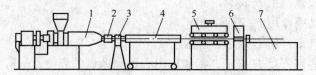

图 5-2　硬管成型挤出生产线示意图

1—挤出机；2—机头模具；3—定型套；4—水槽；

5—牵引机；6—切割机；7—成品堆放

（1）挤出机：它是挤出生产的主机，作用是塑化、输送物料，并提供制品成型所需要的压力。挤出机主要由挤出系统、传动系统和加热冷却系统 3 部分组成。

（2）辅机：与主机配套使用，把挤出机挤出的熔融态料变成不同几何形状的后继设备，称为辅机。按塑料制品的不同规格形状，辅机常用的配套装置有机头模具、定型套、冷却装置、牵引机、切割机、卷取设备和成品堆放。

2. 挤出成型的特点

塑料挤出成型与其他成型方法相比（如注射成型、压制成型）具有以下特点。

（1）应用范围广。大部分热塑性塑料和部分热固性塑料都能用挤出法进行加工。常见的塑料制件形状有管材、板材、棒材、薄膜、电缆、中空制件、异型截面型材等。此外，还可以用挤出方法进行混合、塑化、造粒和着色等。

（2）生产过程连续。可以根据需要生产出任意长度的制件。

（3）生产效率高。因为挤出生产过程是连续的，所以生产的产品也是连续的，也可以用切断的方法得到制品。从发展趋势看，挤出成型生产率的提高比其他成型方法快。

（4）投资少、收效快。挤出成型制件已被广泛地应用于人民生活以及农业、建筑业、石油化工、机械、国防等工业部门。

### 5.1.2　塑料挤出机的分类及主要技术参数

1. 挤出机的分类

随着挤出机用途的增加及挤出成型法的广泛应用和发展，挤出机的类型日益增多，目前挤出机的分类方法很多但不统一。根据螺杆数目的多少，分为无螺杆挤出机（又分为弹熔体挤出机和柱塞式挤出机）、单螺杆挤出机、双螺杆挤出机及多螺杆挤出机；根据螺杆的运转速度来分，分为普通型挤出机、高速挤出机、超高速挤出机；根据螺杆所处的空间位置，分为卧式挤出机和立式挤出机；根据功能，分为排气型、发泡型、喂料型、混炼型等。目前应用最多的是卧式单螺杆非排气式挤出机。

2. 单螺杆挤出机的技术参数

单螺杆挤出机的性能特征通常用以下几个主要技术参数表示。

（1）螺杆直径 $D$：指螺杆的外径，mm。

（2）螺杆长径比：用 $L/D$ 表示，其中 $L$ 为螺杆的工作部分长度，即有螺纹部分的长度 $D$

为螺杆直径。

（3）螺杆的转速范围：用 $n_{max}\sim n_{min}$ 表示。$n_{max}$ 为最高转速，$n_{min}$ 为最低转速，r/mm。

（4）驱动电动机功率：用 $P$ 表示，kW。

（5）料筒加热段效：用 $B$ 表示。

（6）料筒加热功率：用 $P_E$ 表示，kW。

（7）挤出机生产率：用 $Q$ 表示，kg/h。

（8）机器的中心高：用 $H$ 表示，指螺杆中心线到地面的高度，mm。

（9）机器的外形尺寸：长、宽、高，mm。

表 5-1 所示为国产挤出机的主要技术参数，其中字母为汉语拼音符号的缩写。根据国家标准 GB/T—12783—1991 的规定，塑料机械类的代号为"S"，挤出机的组别代号为"J"，SJ 为塑料挤出机；型别代号 Z 为造粒机、W 为喂料机；数字为螺杆的直径，A、B…表示机器结构或参数改进后的标记。例如，SJ—120 表示螺杆直径为 120mm 的塑料挤出机。SJ—65/20A 表示直径为 65mm。经一次结构改造的塑料挤出机。表 5-2 为部分国外生产挤出机的技术参数。

表 5-1 国产挤出机的主要技术参数

| 型　　号 | 螺杆直径 $D$/mm | 螺杆长径比 $L/D$ | 螺杆转速 /（r/min） | 生产能力 $Q$/（kg/h） | 主电动机功率 /kW | 加热功率 /kW | 加热段数 | 机器的中心高度 /mm |
|---|---|---|---|---|---|---|---|---|
| SJ—30/20 | 30 | 20 | 11～100 | 0.7～6.3 | 1～3 | 3.3 | 3 | 1000 |
| SJ—30/25B | 30 | 25 | 15～225 | 1.5～22 | 5.5 | 4.8 | 3 | 1000 |
| SJ—45/20B | 45 | 20 | 10～90 | 2.5～22.5 | 5.5 | 5.8 | 3 | 1000 |
| SJ—65/20A | 65 | 20 | 10～90 | 6.7～60 | 5～15 | 12 | 3 | 1000 |
| SJ—65/20B | 65 | 20 | 10～90 | 6.7～60 | 22 | 12 | 3 | 1000 |
| SJ—Z—90/30 | 90 | 30 | 12～120 | 25～250 | 6～60 | 30 | 6 | 1000 |
| SJ—90/20B | 90 | 20 | 14～72 | 30～90 | 2.4～24 | 16 | 4 | 1000 |
| SJ—120/20D | 120 | 20 | 8～48 | 25～150 | 18.3～55 | 37.5 | 5 | 1100 |
| SJ—Z—150/27 | 150 | ·27 | 10～60 | 60～200 | 25～75 | 71.5 | 6 | 1100 |
| SJ—65/20DL | 65 | 20 | 10～100 | 10～70 | 0～17 | 12.5 | 3 | 1000 |
| SJ—150/20DL | 150 | 20 | 7～42 | 200 | 25～75 | 72 | 6 | 1100 |

表 5-2 部分国外生产挤出机的技术参数

| 型　　号 | 螺杆直径 $D$/mm | 螺杆长径比 $L/D$ | 螺杆转数 /（r/min） | 生产率 /（kg/h） | 电动机功率 /kW | 加热功率 /kW | 加热段数 |
|---|---|---|---|---|---|---|---|
| EP/VP | 30 | 20 | 30～176 | 12～18 | 1～4 | 4 | 4 |
| | | 25 | | | | 5 | 5 |
| | | 27 | 45～130 | 24～30 | 1～6 | 6 | 6 |
| EP/VP | 45 | 20 | 22～130 | 24～40 | 2～9 | 6 | 4 |
| | | 25 | | | | 7 | 5 |
| | | 27 | 50～220 | 48～65 | 3～15 | 5 | 6 |
| EP/VP | 60 | 20 | 25～110 | 48～80 | 4～18 | 9 | 4 |
| | | 25 | | | | 11.5 | 5 |
| | | 27 | 40～175 | 90～120 | 6～27 | 13 | 6 |

续表

| 型　号 | 螺杆直径 /mm | 螺杆长径比 $L/D$ | 螺杆转数 /（r/min） | 生产率 /（kg/h） | 电动机功率 /kW | 加热功率 /kW | 加热段数 |
|---|---|---|---|---|---|---|---|
| EP/VP | 90 | 20<br>25<br>27 | 19～84<br>30～130 | 120～160<br>180～240 | 8～36<br>13～58 | 16<br>20<br>22 | 4<br>5<br>6 |
| EP/VP | 120 | 20<br>25<br>27 | 7～70<br>11～110 | 240～300<br>360～450 | 7～70<br>11～110 | 24<br>30<br>33 | 4<br>5<br>6 |
| EP/VP | 150 | 20<br>25<br>27 | 6～60<br>9～90 | 390～480<br>540～660 | 12～120<br>18～180 | 40<br>50<br>55 | 4<br>5<br>6 |
| EP/VP | 200 | 20<br>25<br>27 | 5～50<br>7～70 | 600～700<br>840～960 | 21～210<br>30～295 | 64<br>80<br>88 | 4<br>5<br>6 |
| EP/VP | 250 | 20<br>25<br>27 | 4～40<br>6～65 | 780～900<br>1020～1150 | 38～380<br>52～520 | 8<br>110<br>120 | 4<br>5<br>6 |

### 5.1.3　塑料挤出机的典型结构

**1．挤出机的挤出系统**

螺杆和料筒组成了挤出机挤出系统的重要零件。塑料在挤出系统内由玻璃态转变为粘流态，然后通过口模、辅机而被做成各种塑料制件。其中，螺杆作用更为关键，因为螺杆的性能对挤出机的生产率、塑化质量、填加物的分散性、熔体温度、动力消耗等有很大影响。

（1）螺杆。

塑料在挤出机中存在 3 种物理状态（即玻璃态、高弹态和粘流态）的变化过程，每一状态对螺杆结构要求不同。为适应不同状态的要求，通常将挤出机的螺杆分成 3 段即加料段 $L_1$（又称固体输送段）、熔融段 $L_2$（称压缩段）和均化段 $L_3$（称计量段）。这就是通常所说的 3 段式螺杆，其结构如图 5-3 所示。塑料在这 3 段中的挤出过程是不同的。

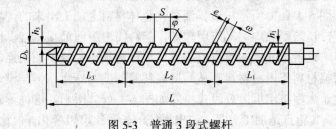

图 5-3　普通 3 段式螺杆

① 加料段。

加料段由加料区和固体输送区组成。塑料由料斗进入料筒后，随着螺杆的旋转运动及料筒内壁和螺杆表面的摩擦作用，将充满螺槽的松散固体或粉末粒子向前输送并压实。据实验观察，在接近加料段的末端，由于外热及螺杆、料筒对物料的混合、剪切作用所产生的内摩擦热的作用，与料筒内壁相接触的塑料已达到粘流态的温度。

加料段的主要参数为螺旋升角 $\varphi$、螺槽深度 $H_1$ 和加料段长度 $L_1$。

② 熔融段。

熔融段的作用是压实、熔融物料，使包围在塑料内的空气压回到加料口处排出（或经排气口排出），并改善塑料的热传导性能。其工作过程如下所述。当塑料从加料段得到初步的压实，再进入熔融段后，随着塑料继续向前推进，由于螺槽逐渐变浅，过滤网、分流板和机头所形成的阻力在塑料中形成了很高的压力，把塑料压得很密实。同时，在料筒外热和螺杆、料筒对物料的混合、剪切作用所产生的内摩擦热的作用下，塑料的温度不断升高。随着物料的向前输送，熔融的塑料量逐渐增多，而未熔融的物料量逐渐减少，大约在压缩段的结束处，全部塑料熔融而转变为粘流态。

熔融段的主要参数有两个即压缩比 $\varepsilon$ 与熔融段长度 $L_2$。

③ 均化段。

塑料经过熔融段，至末端处转变为粘流态，但各点处的温度并不相同。均化段的作用是将来自压缩段的已熔物料定量、定压、定温地挤到机头中去。均化段的两个重要参数是螺槽深度 $H_3$ 和长度 $L_3$。

螺杆的几何参数对挤出过程有很大影响。与注射机相比，挤出机螺杆的长径比比较大（一般在 15～25 之间），以减少在挤出过程中的逆流或漏流，提高挤出机的生产能力。挤出机的压缩比也比较大（一般在 2～5 之间），这有利于增大对物料的挤压作用，排除物料中所含空气。均化段的螺槽深度是个重要参数，挤出机螺杆的均化段更长且螺槽深度较浅，在相同的螺杆转速下，螺槽深度越小，熔融物料的剪切速率越大，从而使物料层之间的摩擦发热增加，塑化速度加快。多头螺纹螺杆对物料的正推力较单头螺杆大，也可降低熔料的逆流。但用于粒料时在加料段会引起不同螺槽进料不均匀，从而产生压力和生产能力的波动。不同的物料对螺杆结构和几何参数有不同的要求，应根据具体的加工情况选用适当形式的螺杆。

（2）料筒。

料筒和螺杆共同组成了挤出机的挤出系统，完成对塑料的固体输送、熔融和定量定压输送任务。同时，料筒也是在高温、高压、严重的磨损和一定的腐蚀条件下工作的。料筒上要设置加热冷却系统、安装机头、开设加料口等。

料筒在结构上存在着 3 种形式，即整体式、衬套式和分段式，如图 5-4 所示。

整体式料筒如图 5-4（a）所示，该料筒是在整体材料上加工出来的，容易保证较高的制造精度和装配精度，料筒受热均匀，应用较多，但料筒内表面磨损后难以修复。衬套式料筒如图 5-4（b）所示，这种形式的料筒克服了料筒内壁磨损不易修复的缺点，并且采用较为高级的耐腐蚀、耐磨损材料作内衬材料，从而提高料筒的使用寿命，但在设计、制造、装配方面较复杂，故多用于大型挤出机。分段式料筒如图 5-4（c）所示，这种形式的料筒被分成若干段，用法兰连接。其特点是加工容易，挤出系统的长径比可以变化，但这种结构装配复杂，各段之间的对中性难于保证，且加热均匀性差。

2．辅机

辅机根据制品的种类而定，通常包括机头、定型装置、冷却装置、牵引装置、切割装置和卷取设备等。

机头是制品成型的主要部件，当机头出料口的口模截面形状不同时，便可得到不同的制品。图 5-5 所示为直通式管材机头模具，这种机头的料流方向与螺杆的挤出料流方向是一致

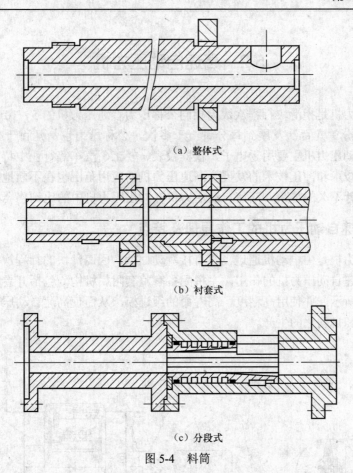

（a）整体式

（b）衬套式

（c）分段式

图 5-4　料筒

的，成一条直线。图 5-6 所示为直角式机头模具，这种机头的料流方向经机头模具后转 90° 弯成型管材。

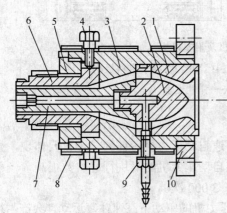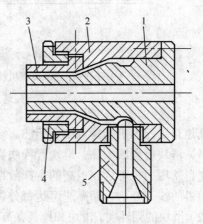

图 5-5　直通式管材机头模具

1—喉接；2—分流锥体；3—外套；4—调节螺钉；
5—压紧螺帽；6—口模；7—芯棒；8—加热器；
9—气管路；10—连接法兰

图 5-6　直角式机头模具

1—芯棒；2—外套；3—口模；
4—压紧螺帽；5—喉接

# 5.2 高速自动压力机

高速自动压力机是指滑块行程次数为相同公称压力普通压力机的 5～10 倍的压力机。其行程次数已从每分钟几百次发展到每分钟一千多次，公称压力也从几百千牛发展到上千千牛。目前高速自动压力机主要用于电子、仪器仪表、轻工、汽车等行业中特大批量冲压件的生产。随着模具技术和冲压技术的发展，高速压力机的应用范围也在不断地扩大、数量也在不断地增加。预计不久的将来，高速自动压力机在冲压压力机中的比例将会明显增大。

## 5.2.1 高速自动压力机的工作原理及特点

高速自动压力机是由电动机通过飞轮直接驱动曲柄，因而滑块的行程次数很高。另外，为了充分发挥高速自动压力机的作用，主机配备有整套附属机构，包括开卷、校平和送料等装置，如图 5-7 所示，并使用高精度、高寿命的级进模，从而使高速自动压力机实现高速、高精度、高刚度和自动化的生产。

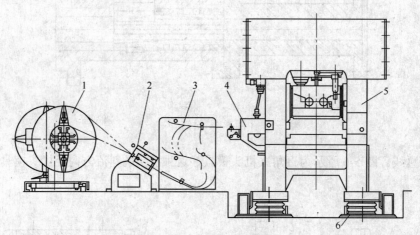

图 5-7 高速压力机及附属机构
1—开卷机；2—校平机构；3—供料缓冲装置；4—送料机构；
5—高速压力机；6—弹性支承

高速自动压力机的特点如下所述。

（1）滑块行程次数高。滑块行程次数高是高速自动压力机特征的一个重要体现，直接反映高速自动压力机可达到很高的生产效率。高速自动压力机的滑块行程次数很高，一般为普通压力机的 5～10 倍，超高速可达每分钟 1 000～3 000 次。

（2）滑块的惯性大。滑块和模具在高速自动压力机的驱动下高速往复运动，会产生很大的惯性力，造成惯性振动（滑块惯性力与其行程次数的平方成正比）。另外，冲压过程中机身积蓄的弹性势能释放进一步加大振动，直接影响压力机的性能，影响压力机和模具的寿命。为减轻振动，缓解振动带来的不利，目前采取的措施有：将滑块的材质由铸铁改为铝合金；采用滑块平衡装置；提高机身的刚度；提高滑块的导向精度和滑块抗偏载刚度；在高速压力机底座与基础之间设置水平橡胶弹性垫块，以吸收部分振动，同时还能降低噪音、有利于改善工作环境。

（3）设有紧急制动装置。传动系统具有良好的紧急制动特性（某些压力机采用双制动器），当安全检测装置发出警告信号时，能令压力机紧急停车，避免发生事故。

（4）送料精度高。送料精度可达到 0.03～0.05mm，这样有利于提高工步定位装置的寿命和减小因送料不准而引起的模具和设备事故。

（5）机床刚度和滑块导向精度高。

（6）辅助装置较齐，如有高精度的间隙送料装置、平衡装置、减振消音装置、事故监测装置等。

### 5.2.2 高速自动压力机的分类及主要技术参数

高速自动压力机按机身结构分为开式、闭式和四柱式；按传动方式分为上传动式、下传动式；按连杆数目分为单点式、双点式。但从工艺用途和结构特点上分类，可分为三大类：第一类是采用硬质合金材料的级进模或简单模来冲裁卷料，它的特点是行程很小，但行程次数很高；第二类是以级进模对卷料进行冲裁、弯曲、浅拉深和成型的多用途高速自动压力机，它的行程大于第一类压力机，但行程次数要低些；第三类是以第二类压力机为基础，将第一、二类综合为一个统一系列，每个规格有 2～3 个型号，主要改变行程和行程次数，提高了压力机的通用化程度及经济效益。

表 5-3 为部分国产高速自动压力机的主要技术参数，表 5-4 为日本会田公司 L 系列高速自动压力机的主要技术参数。

**表 5-3　　　　　　　　　　部分国产高速自动压力机的主要技术参数**

| 名称 型号 | 符号 | 单位 | J75G—30 | J75G—60 | JG95—30 | SA95—80 | SA95—125 | SA95—200 |
|---|---|---|---|---|---|---|---|---|
| 公称压力 | $F_g$ | kN | 300 | 600 | 300 | 800 | 1250 | 2000 |
| 滑块行程次数 | $n$ | 次/min | 150～750 | 120～400 | 150～500 | 90～900 | 70～700 | 60～560 |
| 滑块行程 | $s$ | mm | 10～40 | 10～50 | 10～40 | 25 | 25 | 25 |
| 最大封闭高度 | $H$ | mm | 260 | 350 | 300 | 330 | 375 | 400 |
| 封闭高度调节量 | $\Delta H$ | mm | 50 | 50 | 50 | 60 | 60 | 80 |
| 送料长度 | $L$ | mm | 6～80 | 5～150 | 80 | 220 | 220 | 220 |
| 宽度 | $B$ | mm | 5～80 | 5～150 | 80 | 250 | 250 | 250 |
| 厚度 | $t$ | mm | 0.1～2 | 0.2～2.5 | 2 | 1 | 1 | 1 |
| 主电动机功率 | $P$ | kW | 7.5 | | 7.5 | 38 | 43 | 54 |
| 生产厂家 | | | 上海第一锻压机床厂 | 通辽锻压机床厂 | 齐齐哈尔第二机床厂 | | | |

**表 5-4　　　　　　　　日本会田公司 L 系列高速自动压力机的主要技术参数**

| 名称 型号 | 符号 | 单位 | PDA6 | PDA8 | | | PDA12 | | | PDA20 | | | PDA30 | | |
|---|---|---|---|---|---|---|---|---|---|---|---|---|---|---|---|
| 公称压力 | $F_g$ | kN | 600 | 800 | | | 1200 | | | 2000 | | | 3000 | | |
| 行程长度 | $s$ | mm | 15 | 25 | 50 | 75 | 30 | 50 | 75 | 30 | 50 | 75 | 30 | 50 | 75 |
| 行程次数 最高 | $n$ | 次/min | 800 | 400 | 250 | 200 | 350 | 200 | 160 | 300 | 180 | 150 | 250 | 150 | 120 |
| 行程次数 最低 | | | 200 | 160 | 100 | 80 | 140 | 100 | 65 | 120 | 70 | 60 | 100 | 60 | 50 |

| 名称 \ 型号 | 符号 | 单位 | 量　值 | | | | |
|---|---|---|---|---|---|---|---|
| | | | PDA6 | PDA8 | PDA12 | PDA20 | PDA30 |
| 封闭高度 | $H$ | mm | 280 | 300 | 360 | 380 | 420 |
| 封闭高度调节量 | $\Delta H$ | mm | 40 | 50 | 50 | 60 | 80 |
| 工作台板尺寸 | $L \times B$ | mm × mm | 650×600 | 900×600 | 900×800 / 1100×800 | 1300×850 / 1500×850 | 1500×900 / 1700×900 |
| 主电动机功率 | $P$ | kW | 15 | 15 | 18.5 | 22 | 30 |

### 5.2.3　高速自动压力机的典型结构

**1. 机身结构**

高速自动压力机的机身结构是保证高速冲压的关键部件。除小吨位的高速压力机采用开式结构外，大部分高速自动压力机都采用闭式结构以提高机身的刚度，常见的有铸铁整体封闭架结构和钢板框架式焊接结构。为提高滑块的导向精度和抗偏载能力，部分压力机常将机身导轨的导滑面延长到模具工作面以下。

**2. 传动原理**

高速自动压力机的主传动一般采用无级调速。滑块与导轨采用滚动预紧导向，使滑块运行时侧向间隙被消除，滑块对导轨不会产生侧向力。图 5-8 是一台下传动高速自动压力机的传动原理图。电动机经过带轮（兼飞轮）2、离合器 3 将运动传到曲轴 12 上，曲轴转动使拉杆 5 带动滑块 7 作上下往复运动。由于滑块是电动机通过带轮（一级减速）直接驱动的，所以行程次数很高。被冲材料由辊式送料装置 6 送进，剪断机构 9 由凸轮 11 通过拉杆驱动，将冲压后的材料（与工件连成一体）或废料剪断，以完成冲压件的自动生产。件 13 的作用是平衡滑块在高速下产生的往复惯性力，减小压力机的振动。

**3. 送料装置**

高速自动压力机的送料装置，目前以蜗杆凸轮式传动箱（又称柱包络蜗杆传动箱或福克森机构）带动的辊式送料装置为主，如图 5-9 所示。蜗杆凸轮以等角速度旋转，与蜗杆凸轮啮合的是一个带有 6 个滚动轮子的从动盘，6 个轮之间的相互位置精度为 60°±30′。蜗杆凸轮在转动一周的过程中，有 180° 角的蜗杆螺旋升角为零，而另外 180° 角内为不等距螺旋面。蜗杆凸轮与滚轮啮合传动，可使从动盘作间歇运动，再用传动箱从动盘的输出轴带动送料辊，就实现了间歇送料。这种机构本身加工精度高，又由于蜗杆凸轮螺旋面的特殊形状，使得加工比较困难。另外它不能进行无级调速，当要改变

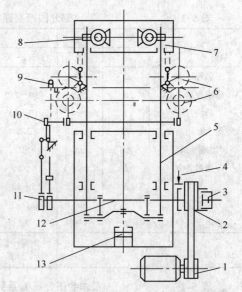

图 5-8　下传动高速自动压力机的传动原理图

1—电动机（无级调速）；2—带轮；3—离合器；4—制动器；5—拉杆；6—辊式送料装置；7—滑块；8—封闭高度调节机构；9—剪断机构；10—辊式送料的传动机构；11—凸轮；12—曲轴；13—平衡器

送料长度时，必须更换送料辊和交换齿轮，因此它在大批量连续冲压中得到了广泛的应用。在这种传动箱中，由于蜗杆凸轮螺旋面的特殊形状，使得传送板料在起动和停止时的加速度为零，无惯性力。同时这种装置还有调整蜗杆凸轮和滚轮的传动间隙机构，可使从动盘的滚轮与蜗杆螺旋面之间达到无间隙，从而使送料误差为±0.03mm。除了辊式送料装置外，夹钳式送料装置在高速自动压力机中也有应用，且以机械传动式夹钳送料装置居多，气动和液压式夹钳送料装置较少见。

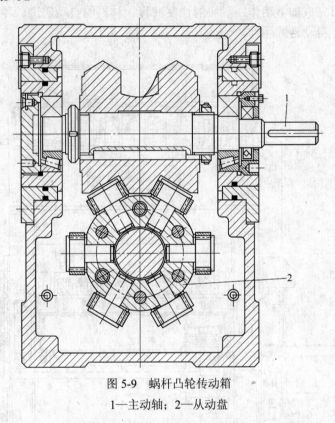

图 5-9　蜗杆凸轮传动箱

1—主动轴；2—从动盘

# 5.3　板料多工位压力机

板料多工位压力机是一种适合于大批量生产、能够实现板料冲压自动化的压力机。近年来，国内多工位压力机在机械工业、无线电工业、电路仪表工业、轻工产品生产中的使用已逐渐增多，并显示了它的优势。国外已逐步以多工位压力机取代由通用压力机组成的冲压生产线。采用多工位压力机进行冲压生产是提高生产率的有效途径之一。

## 5.3.1　板料多工位压力机的工作原理及特点

板料多工位压力机用于多工位冲压工艺，它在一台多工位压力机上可以安装多副模具进行冲压生产，并且通过一套工位间的传递机构就可以使压力机在一次往复行程中完成一个冲压件的全部冲压工序（即落料、冲孔、拉深、弯曲、切边、压印、整型等工序），从而实现自动化生产。

图 5-10 所示为 Z81—125 八工位压力机主体结构图，图 5-11 是板料多工位压力机的传动示意图。其工作过程如下所述。多工位压力机通过皮带轮、齿轮两级减速，将运动传递给双曲轴和滑块。双曲轴的左端通过锥齿轮 16、轴 13 将运动传递给送料装置 12，使其送料与曲轴运动协调。双曲轴的右端通过凸轮 6、拉杆 7、摇臂 10、拖板 11 控制夹板的进退（送料、退回）动作。主滑块两侧各装有斜楔板 9 以控制夹板的张合动作，其进退与张合过程如图 5-12 所示。该压力机可完成如下动作：滑块的往复冲程、材料的自动送进、各工位间工件的顺序传递、传压力机能自动连续运行。

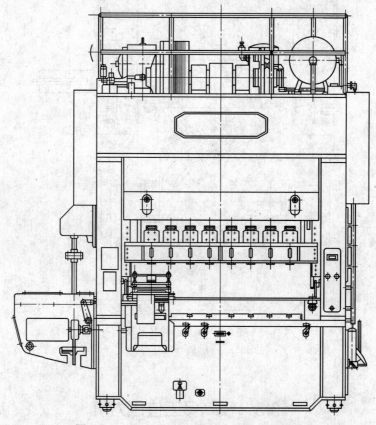

图 5-10  Z81—125 八工位压力机主体结构图

板料多工位压力机具有以下特点。

（1）滑块结构较复杂。一般滑块均为箱体结构，其上根据需要设置了全套工位。为便于模具的安装、调整、扩大压力机的应用范围，滑块在各工位上又单独设置了小滑块，这样每个小滑块可以按冲压工艺要求安装该工位的上模、工作台上安装相应的下模，并单独调节装模高度。

（2）自动送料机构、工位间传递机构和滑块 3 者间的运动保持同步协调。由图 5-12 可知，多工位压力机的主轴与自动送料机构、工位间传递机构采取机械连接，从而可使滑块、自动送料机构和工位间传递机构 3 者的动作保持同步协调，使压力机可实现机械化与自动化生产。

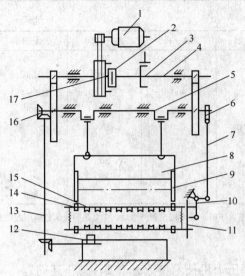

图 5-11 板料多工位压力机传动示意图

1—电动机；2—离合器；3—制动器；4、13—轴；

5—双曲轴；6—凸轮；7—拉杆；8—主滑块；

9—斜楔板；10—摇臂；11—拖板；12—送料

装置；14—滚轮；15—夹板；

16—锥齿轮；17—皮带轮

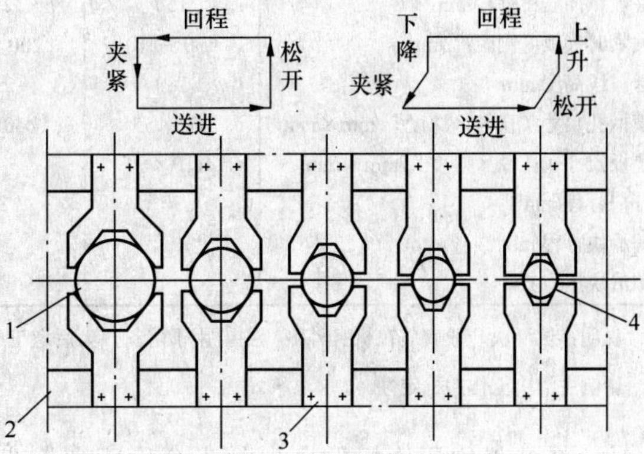

图 5-12 夹板机构动作示意图

1—坯料；2—夹板；3—夹钳；4—工件

（3）多工位压力机采用摩擦离合器—制动器，以实现压力机工作平稳、动作可靠、模具安装及调整方便的目的。

（4）为防止坯料落料时引起的滑块振动，影响其他工序的冲压精度，大型多工位压力机常在其他压力机上落料，或在多工位压力机左侧的侧滑块上落料，将坯料送至第一工位，然后由夹钳送到第二工位去冲压。在这种情况下，第一工位是空工位或称为接料工位。

### 5.3.2 板料多工位压力机的分类及主要技术参数

板料多工位压力机按工序间工件的传递方向分为直线传递式、纵横传递式和回转传递式。大多数多工位压力机采用直线传递式。

板料多工位压力机的主要技术参数是公称压力、工位数、工位距、滑块行程、行程次数等。多工位压力机型号中，如 Z81—125，125 指公称压力为 1 250kN 的板料多工位压力机。表 5-5 为国产多工位压力机的主要技术参数。

表 5-5　　　　　　　　　　　多工位压力机的主要技术参数

| 压力机型号 | Z81—40 | Z81—125 | Z81—160 | Z81—250 | Z81—400 |
|---|---|---|---|---|---|
| 公称压力/kN | 400 | 1250 | 1600 | 2500 | 4000 |
| 滑块行程/mm | 150 | 200 | 315 | 200 | 400 |
| 工位数/个 | 7 | 8 | 5 | 9 | 9 |
| 滑块行程次数/（次·min⁻¹） | 40 | 35 | 20 | 20~25 | 11~22 |
| 最大装模高度/mm | 300 | 380 | 420 | 490 | 700 |
| 装模高度调节量/mm | 40 | 50 | 40 | 80 | 80 |

| 压力机型号 | Z81—40 | Z81—125 | Z81—160 | Z81—250 | Z81—400 |
|---|---|---|---|---|---|
| 工位距/mm | 150 | 210 | 280 | 300 | 400 |
| 夹板纵向送料行程/mm | 150 | 210 | 280 | 300 | 400 |
| 夹紧时夹板内侧距离/mm | 130～210 | 200～320 | 300 | 250～400 | 350～450 |
| 送料线高度/mm | 180 | 230 | 320 | 320 | 400 |
| 模柄孔尺寸（直径×深度）/mm×mm | $\phi32×55$ | $\phi40×60$ | | $\phi60×60$ | |
| 垫板尺寸（孔径×厚度）/mm×mm | $\phi110×60$ | | | | |
| 打料行程/mm | 30 | 30 | | 30 | |
| 侧滑块行程/mm | | | | 80 | |
| 侧滑块压力/kN | | | | | 800 |

说明：侧滑块一般安装在机身外侧，主要用于落料，为后道工序提供坯料。压力机设置侧滑块，主要是防止因落料引起的振动而影响主滑块工作的稳定性。

板料多工位压力机的主参数为公称压力，选择压力机技术参数时，要注意下述问题。

（1）滑块行程。滑块行程 $s$ 要考虑冲压件的高度 $h$ 和夹钳的送料过程（此时滑块仍在回程），一般取 $s=3h$。

（2）公称压力。每个工位的最大冲压力不允许超过压力机公称压力的 1/3。因为个别工位压力过大，会造成滑块倾斜，使之运动精度降低，影响模具寿命和冲压件精度。

（3）工位距。应根据冲压坯料的最大直径 $D$ 和模具强度来确定工位距，对圆形件一般取工位距 $A\geqslant1.2D$，对矩形件一般取工位距 $A\geqslant1.5D$。并可在不影响压力机生产效率的情况下适当增加冲压工序，以简化模具结构，提高模具寿命。

（4）工位数。确定工位数时应注意留有余地，考虑实际生产中可能要增加工序，设计时可适当增加空工位。

（5）送料线高度。送料线高度是指纵向送料夹板底面（或送料平面）到工作台垫板上平面之间的距离，一般取零件高度的 3～4 倍。

### 5.3.3　板料多工位压力机的典型结构

图 5-10 所示为 Z81—125 八工位压力机主体结构图。压力机机身为组合式钢板焊接结构，通过拉紧螺栓顶紧，将上梁、左右立柱及工作台连成整体。在上梁上有离合器轴承座、传动轴及曲轴轴承等零部件；左右立柱上装有导轨；主滑块上装有 8 个小滑块，小滑块的调节量为 50mm，每个小滑块都有顶料杆，顶料行程为 30mm，整个滑块部件重量由两个气动平衡缸平衡。电动机的旋转运动通过一级 V 型带传动，经摩擦离合器带动二级齿轮传动系统，使两套曲柄连杆机构带动主滑块作往复运动。

1. 滑块及打料装置

（1）滑块。大型多工位压力机一般设置主滑块装模高度粗调和小滑块装模高度微调装置。中小型多工位压力机一般只在小滑块上设置装模高度调节装置，如图 5-13 所示。其装模高度可通过调节螺母 3 来实现，并由锁紧螺钉 2 锁紧。大型多工位压力机的主滑块均装有液压超载保护装置，某些多工位压力机的各小滑块还有单独的液压超载保护装置。

（2）打料装置。小滑块上一般装有气动式或机械式打料装置。图 5-13 所示为机械式打料装置，固定在机身上的凸轮板 5 的位置可以通过螺钉 6 上下调节，它驱动摆杆 4 逆时针转动实现打料。在使用中，为了不使被冲零件冲完后让上模带走，一般当上模与下模分离时，便开始打料，以保证各工位的制件能准确处在各工位的送料平面上，便于夹板夹持送进。

### 2．自动送料装置

多工位压力机的冲压材料常用卷料和平片（落料件），以卷料尤为多见。卷料送进一般采用辊式送料装置，如图 5-14 所示。当送料辊 2 转动时，可使卷料送进。送料辊 2 受偏心轮 7、连杆 8 和单向离合器 5 等驱动作周期性转动，按照一定速度间歇地把卷料送进。卷料送进量由送料辊 2 的旋转角度来控制，并可以调节。送料辊 1 借弹簧 6 的压力相对送料辊 2 压在卷料上，实现转动并平稳送料。

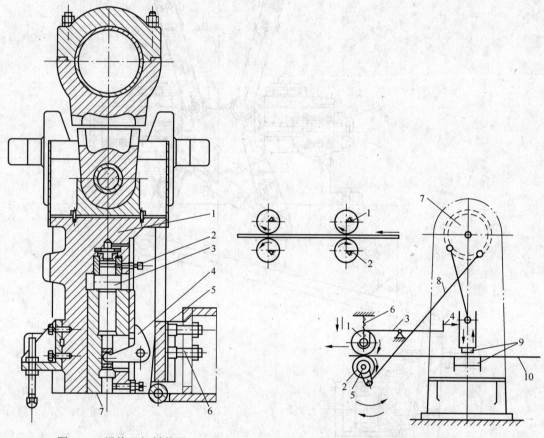

图 5-13　滑块及打料装置　　　　　图 5-14　辊式送料装置简图

1—滑块箱体；2—锁紧螺钉；3—调节螺母；　　1、2—送料辊；3—杠杆；4—调节杆；5—单向离合器；
4—摆杆；5—凸轮板；6—螺钉；7—小滑块　　6—弹簧；7—偏心轮；8—连杆；9—模具；10—坯料

### 3．夹板机构

多工位压力机上各工位间的工件传递由夹板机构的张合与进退完成。图 5-12 所示为夹板机构动作示意图，其在两平行的夹板上安装数对夹钳。夹钳之间的横向距离与压力机各工位间的距离相一致，纵向距离与工件尺寸有关且可调节。此夹板可以完成夹紧→送进→松开→退回 4 个动作，可将各工位上的工件顺序向右传递，进行冲压加工。

图 5-15 所示为夹板的张合机构（横向夹紧机构）。在滑块两侧装有斜楔板 1，当滑块下

行时，斜楔板将夹板 3 撑开，使固定在夹板上的夹钳 2 脱离制件；滑块回程时，在弹簧 4 的作用下，夹板向中心合拢，夹紧制件，完成张合运动。通过螺钉 5 可以调节夹紧力的大小。此外，该机构还设置了夹板的临时张开机构，即可随时利用手柄控制的杠杆系统 6 将夹板松开，以适应试冲、模具调整、故障排除等情况的需要。

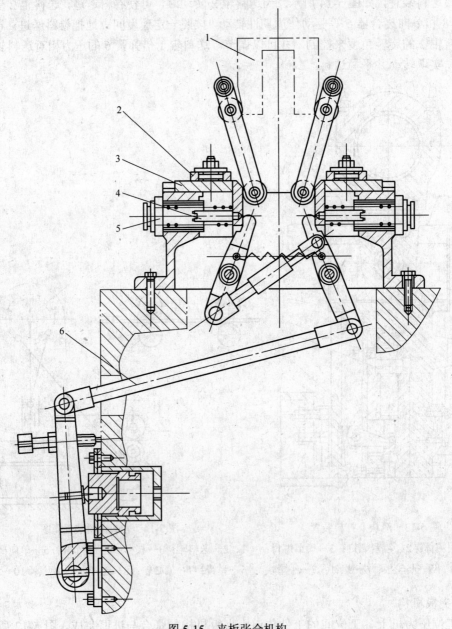

图 5-15　夹板张合机构

1—斜楔板；2—夹钳；3—夹板；4—弹簧；5—螺钉；6—手柄控制杠杆系统

　　为保证连续、高效、安全的生产，除上述机构外，多工位压力机上还设置有滑块平衡装置、安全检测装置、超越保护装置等辅助装置。

# 5.4  双动拉深压力机

用于拉深工艺的压力机种类较多,对小型零件拉深多用通用压力机,对大中型零件拉深多用专用的拉深压力机。本节讨论具有双滑块的双动拉深压力机。

### 5.4.1  双动拉深压力机的工作原理及特点

图 5-16 所示为双动拉深压力机工作部分的结构简图,其结构特点是有内滑块和外滑块。工作时,外滑块对零件毛坯周边施加一定的压边力,防止在拉深中坯料边缘起皱,内滑块用于拉深毛坯成型。外滑块的运动是由曲轴经过曲柄连杆、肘杆或凸轮来驱动的,它在机身导轨上作往复运动;内滑块则有的在外滑块的导轨上作往复运动(在上传动的压力机中),有的在机身导轨上运动(在下传动的压力机中)。

双动拉深压力机具有以下特点可满足拉深工艺的要求。

**1. 内外滑块的工作循环**

双动拉深压力机工作时,其内外滑块的运动有着特殊的规律。图 5-17 所示为双动拉深压力机滑

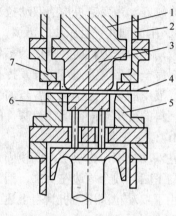

图 5-16  双动拉深压力机工作部分结构简图
1—内滑块;2—外滑块;3—凸模;4—板料;
5—凹模,6—托板;7—压边圈

块的工作循环图,由图可知,外滑块的行程要小于内滑块的行程。外滑块提前(10°～15°)压住拉深毛坯,然后内滑块开始拉深。内滑块拉深过程中,曲柄转过的角度(压力角或拉深角)一般在 50° 以上,拉深角大则说明可适应拉深件的拉深高度高。到 $a = 0°$ 时,拉深结束,则内滑块开始回程。外滑块滞后(10°～15°)回程,其目的是使拉深件不致卡在凸模上。当内

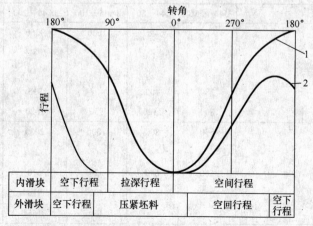

图 5-17  曲柄滑块机构驱动滑块的工作循环图
1—内滑块行程曲线;2—外滑块行程曲线

滑块回到上死点时，外滑块已经过自己的上死点而向下走了一段距离，这个距离称为前导行程量，约为滑块行程的 10%～15%，它一方面保证外滑块在下次工作行程时提前压住拉深毛坯，另一方面保证拉深件能从拉深凸模上卸落。

2．内外滑块的速度

外滑块在压边时处于下极限位置，它的运动速度接近于零，因此对材料冲击较小，压边较平稳。内滑块在拉深时保持较低而均匀的速度，以利于材料的拉深变型。对于下传动的双动拉深压力机，内滑块的速度较低，每分钟的行程次数较小。为提高生产率，目前生产的大中型双动拉深压力机多采用变速机构，即内滑块的运动速度在空程时较快，拉深时较慢，使用效果较好。带变速机构的双动拉深压力机多采用上传动形式。

3．压边刚性好且压边力可调

双动拉深压力机的外滑块为箱体结构，受力后变形小，所以压边刚性好，可使拉深筋处的金属完全变形，因而可充分发挥拉深筋控制金属流动的作用。外滑块有 4 个悬挂点，可用机械或液压的调节方法调节各点的装模高度和油压，使压边力得到调节。这样，可以有效地控制坯料的变形趋向，保证拉深件的质量。

4．便于工艺操作

在双动拉深压力机上，凹模固定在工作台垫板上，因此坯料易于安放与定位。由于拉深零件向下凹，残余周边在上部，因此便于机械手夹紧和送料。

由于双动拉深压力机具有上述工艺特点，特别适合于形状复杂的大型薄板件或薄筒形件的拉深成型。

### 5.4.2　双动拉深压力机的分类及主要技术参数

双动拉深压力机按传动方式不同，可分为机械双动拉深压力机和液压双动拉深压力机；按内滑块的连杆数目可分为单点、双点和四点双动压力机。而机械双动拉深压力机按传动系统布置的形式，又可分为上传动和下传动两种。

表 5-6 为几种双动拉深压力机的技术参数。双动拉深压力机基本参数的关系如下所述。

表 5-6　　　　　　　　　　　几种双动拉深压力机的技术参数

| 压力机型号 | | | J44—55C | J44—80 | JA45—100 | JA45—200 | J45—315 | JB46—315 |
|---|---|---|---|---|---|---|---|---|
| 总标称压力/kN | | | | | 1630 | 3250 | 6300 | 6300 |
| 行程次数/次·min$^{-1}$ | | | 9 | 8 | 15 | 8 | 5.5～9 | 10 |
| 低速行程次数/次·min$^{-1}$ | | | | | | | | 1 |
| 最大拉深高度/mm | | | 280 | 400 | | 315 | 400 | 390 |
| 立柱间距/mm | | | 800 | 1120 | 950 | 1620 | 1930 | 3150 |
| 内滑块 | 标称压力/kN | | 550 | 800 | 1000 | 2000 | 3150 | 3150 |
| | 标称压力行程/mm | | | | | 25 | 30 | 40 |
| | 行程/mm | | 560 | 640 | 420 | 670 | 850 | 850 |
| | 最大装模高度/mm | | | | 480 | 930 | 1120 | 1550 |
| | 装模高度调节量/mm | | | | 100 | 165 | 300 | 500 |
| | 底面尺寸 | 左右/mm | | | 560 | 960 | 1000 | 2500 |
| | | 前后/mm | | | 560 | 900 | 1000 | 1300 |

续表

| 压力机型号 | | | J44—55C | J44—80 | JA45—100 | JA45—200 | J45—315 | JB46—315 |
|---|---|---|---|---|---|---|---|---|
| 外滑块 | 标称压力/kN | | 550 | 800 | 630 | 1250 | 3150 | 3150 |
| | 行程/mm | | | 450 | 250 | 425 | 530 | 530 |
| | 最大装模高度/mm | | | | 430 | 825 | 1070 | 1250 |
| | 装模高度调节量/mm | | | | 100 | | 300 | 500 |
| | 底面尺寸 | 左右/mm | | | 850 | 1420 | 1550 | 3150 |
| | | 前后/mm | | | 850 | 1350 | 1600 | 1900 |
| 垫板尺寸 | | 左右/mm | 600 | 1000 | 950 | 1540 | 1800 | 3150 |
| | | 前后/mm | 720 | 1100 | 900 | 1400 | 1600 | 1900 |
| | | 厚/mm | | | 100 | 160 | 220 | 250 |
| 气垫压力（压紧力/顶出力）/kN | | | | | /100 | 500/800 | 1000/1200 | |
| 气垫行程/mm | | | | | 210 | 315 | 400 | 440 |
| 主电动机功率/kW | | | 15 | 22 | 22 | 40 | 75 | 100 |

（1）最大拉深件的高度约为 $0.47s$，$s$ 为内滑块行程。

（2）外滑块公称压力与内滑块公称压力之比为 0.55～1.0，下限适用于单点双动拉深压力机，上限适用于双点或四点双动拉深压力机。

（3）外滑块行程为内滑块行程的 60%～70%。

### 5.4.3　双动拉深压力机的典型结构

图 5-18 所示为下传动双动拉深压力机的外形图。图 5-19 所示为 J44—55B 型下传动双动拉深压力机的传动原理图，该机采用三级减速对称传动。电动机的旋转运动通过带和齿轮传动传给主轴，主轴中间固接的凸轮 1 驱动工作台作上下往复运动，与压边滑块配合完成压料动作，主轴两端的大齿轮 2 上装有偏心轮 3，通过连杆 6 驱动拉深滑块 7 作上下往复运动，其与压边滑块配合完成拉深成型动作。拉深凹模装于工作台 5 上，凸模装于与拉深滑块连接在一起的装模螺杆上，压料圈装在压边滑块的下面。通过调节装模螺杆的上下位置即可改变压力机的装模高度。

装模螺杆的调节如图 5-20 所示。调整时，松开锁紧手轮 1，旋转手轮 6，通过锥齿轮 4 使螺母转动，带动装模螺杆 5 作上下移动，调整好后锁紧螺杆。

压料力的调节，是通过调整压边滑块的装模高度以控制压料圈和凹模上表面对坯料夹紧的松紧度来实现的。压边滑块的调节如图 5-21 所示，

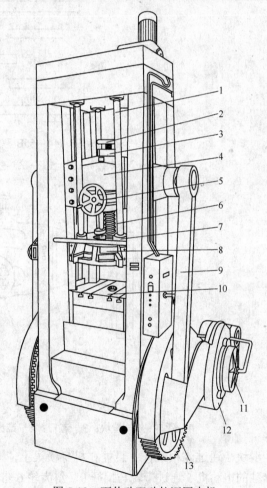

图 5-18　下传动双动拉深压力机

1—压边螺杆；2—手轮；3—锁紧手轮；4—拉深滑块；5—上模调节手轮；6—装模螺杆；7—菱形压板；8—压边滑块；9—连杆；10—工作台；11—离合器；12—飞轮；13—大齿轮

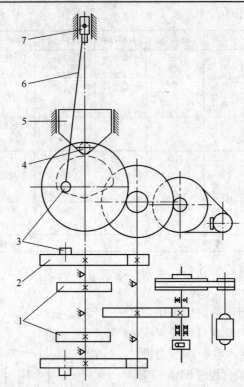

图 5-19　J44—55B 型双动拉深压力机传动原理

1—凸轮；2—大齿轮；3—偏心轮；4—滚轮；5—工作台；6—连杆；7—滑块

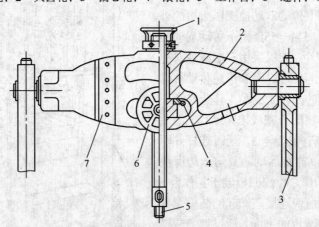

图 5-20　J44—55B 型双动拉深压力机拉深滑块机构

1—手轮；2—滑块；3—连杆；4—锥齿轮；5—装模螺杆；6—手轮；7—导滑面

滑块 1 通过 4 根螺杆 3 悬挂在机身横梁上，上横梁装有压边滑块的装模高度调节机构。由单独的电动机 5 通过带轮与蜗杆 9、斜齿轮 6 带动 4 个调节螺母 7 转动，驱动 4 根螺杆带着压边滑块作上下移动，达到调节的目的。此压边滑块也可分别调整 4 根螺杆，以使压边滑块的 4 个角产生不同的压边力。调整时，先将螺杆与滑块连接处的菱形压板 2 的螺钉松开，用撬杆插入螺杆上的孔 $a$ 中扳动，使调节螺杆 3 微量转动，而改变压料力，调整完后再紧固菱形压板螺钉。

图 5-22 所示为 JA45—100 型闭式单点双动拉深压力机的外形，其传动原理如图 5-23 所示，

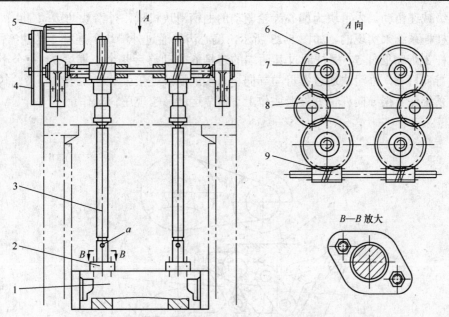

图 5-21　J44—55B 型双动拉深压力机压边滑动装置

1—滑块；2—菱形压板；3—调节螺杆；4—传动带；5—电动机；
6—斜齿轮；7—调节螺母；8—中间齿轮；9—螺杆

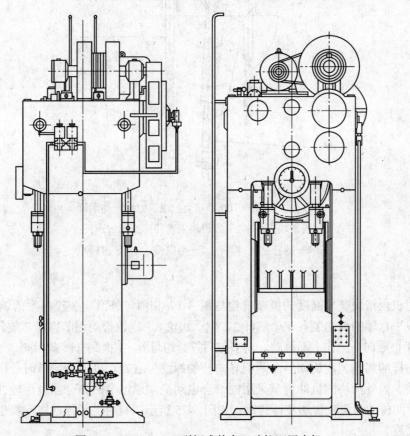

图 5-22　JA45—100 型闭式单点双动拉深压力机

其采用四级减速传动。内滑块为偏心齿轮驱动的曲柄滑块机构，外滑块的运动是由同一偏心齿轮驱动杠杆系统来实现的。如图 5-23 所示，偏心齿轮通过外滑块主连杆 2 带动摇杆 4，摇杆通过连杆 3 带动摆杆 5，摆杆通过其两端的连杆 6 带动前后两个小横梁 7，每个小横梁上固定两根导向杆 8，外滑块通过螺母与导向杆末端的螺纹连接。这样，当偏心齿轮转动时，通过杠杆系统使 4 根导向杆带着外滑块作上下往复运动，实现压料动作。

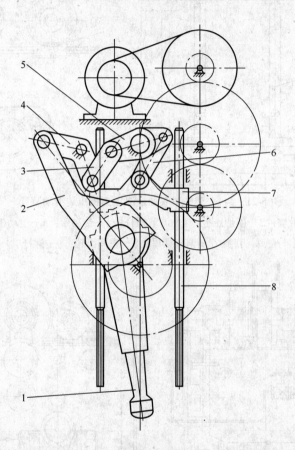

图 5-23　JA45—100 型双动拉深压力机传动原理

1—内滑块连杆；2—外滑块主连杆；3、6—连杆；

4—摇杆；5—摆杆；7—小横梁；8—导向杆

　　该压力机内滑块装模高度的调节机构与图 3-17 相似，外滑块装模高度的调节如图 5-24 所示，两根平行轴的两端装有 4 个蜗杆 2，驱动蜗轮 8，蜗轮带动调节螺母 7 旋转，从而使外滑块 3 在 4 根导向杆上作上下移动，调节完后拧紧螺母 6。4 根蜗杆转向相同，所以图中上面的两根导向杆的螺纹为左旋，下面两根导向杆的螺纹为右旋，以保证调节时外滑块同步向上或向下移动。内外滑块的机动调节采用同一台电动机，通过电磁离合器及齿轮挂靠实现不同时调节，中间传动为齿轮传动及链传动，如图 5-25 所示。利用手把摇动电动机也可实现手动调节装模高度。

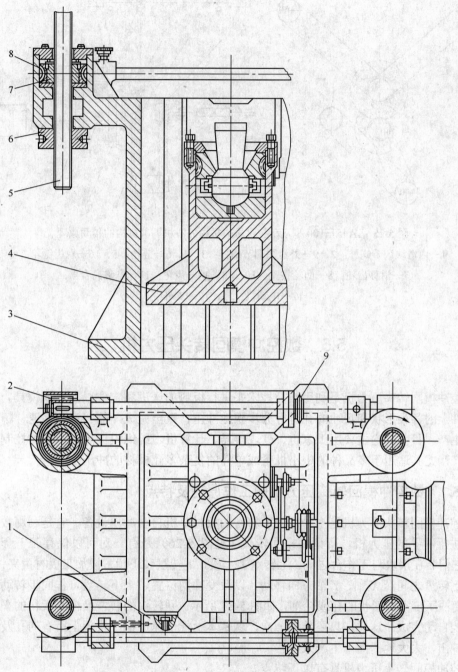

图 5-24　JA45—100 型双动拉深压力机外滑块调节机构

1—内滑块导轨；2—蜗杆；3—外滑块；4—内滑块；

5—导向杆；6—锁紧螺母；7—调节螺母；

8—蜗轮；9—链轮

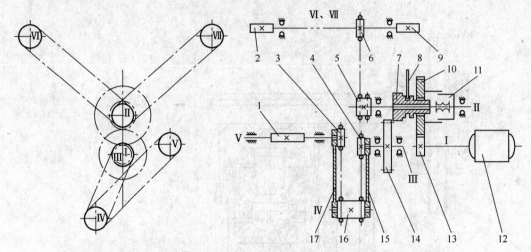

图 5-25　JA45—100 型双动拉深压力机内外滑块调节机构的传动原理

1—内滑块调节蜗杆；2、9—外滑块调节蜗杆；3、4、6—链轮；5、16—双齿链轮；

7—滑移齿轮；8—凸轮拨叉；10、13、14—齿轮；11—电磁离合器；

12—电动机；15、17—支杆

## 5.5　数控冲模回转头压力机

数控冲模回转头压力机是利用数控技术来进行板料的送进和定位以及选择模具。其对需冲制零件上的各种形状和尺寸的孔进行分步骤地冲压、直至完成，能够达到高速、精密、自动化的生产。目前，它主要用于家电、仪表仪器、计算机、纺织机械等行业中的控制板、底板的生产，尤其适用于多品种的中小批量或单件的复杂多孔板材的冲压生产。

### 5.5.1　数控冲模回转头压力机的工作原理及特点

数控冲模回转头压力机是一种高效、精密的板材单机自动冲压设备，它是利用数控技术对板料进行冲孔的压力机。所谓冲模回转头（见图 5-26）是有一对可以储存若干套模具的转盘，它们装在滑块与工作台之间，上转盘装上模，下转盘装下模。被加工板材由夹钳夹持，可在上下转盘之间沿 $X$ 轴、$Y$ 轴方向移动，以改变冲切位置。上下转盘可作同步转动进行换模，以便冲压出不同形状的孔或轮廓，如图 5-27 所示。回转头的转位换模及板料的平移定位均由数控自动完成。这样，只要装夹一次，就基本上能快速地把一块板上所有的孔及大部分的轮廓冲出，大大地提高了生产效率。

数控冲模回转头压力机具有以下特点。

（1）数控冲模回转头压力机的冲压方式与普通压力机的冲压方式不同，例如，有一批外轮廓较大的零件，如图 5-27 所示，按照常规冲法是先剪板下料（周边），然后在压力机上装一副模具，在一批板料上把与模具相对应的孔冲完，再换另一副模具，冲另外一种孔，依次循环，直至冲完所有的孔。这种冲法虽然不用重新制造全套模具，但是板材上下搬动次数较多、换模时间长、劳动强度大。如果在数控冲模回转头压力机上冲孔，只要装夹一次板料，就能把其上的孔全部冲出。其冲压方式是当一种孔冲好后需要换模时，压力机把装于上下转盘中的另一副模具转至滑块下,移动工作台带动板料移到所冲位置即可冲孔(见图 5-27 孔 1)。另外还可利用组合冲裁法冲出较复杂的孔（见图 5-27 孔 2、3）或利用分步冲裁法冲出冲孔力大于压力机公称压力的孔。

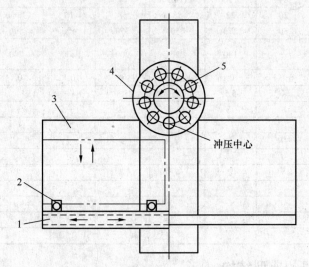
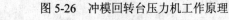

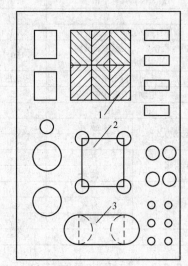

图 5-26　冲模回转台压力机工作原理　　　　　　图 5-27　冲压方式

1—溜板；2—夹钳；3—移动料台；4—冲模回转头；5—模具

（2）压力机的上下转盘中装有多副模具，供加工时自行选用。

（3）压力机采用高精度的滚珠丝杠和滚动导轨结构，使其具有较高的运动精度和可靠性。

（4）冲压件精度高，定位精度一般在±0.15mm，最高可达±0.05～±0.07mm。

（5）生产率高，与普通冲孔相比，可提高生产率 4～10 倍，尤其对单件、小批量生产可提高生产率 20～30 倍。

（6）减少模具设计与制造费用，缩短了生产准备周期。

（7）减轻了工人的劳动强度，除去装料与卸料以外，所有孔均可自动冲出，同时可节省生产的占地面积。

### 5.5.2　数控冲模回转头压力机的分类及主要技术参数

数控冲模回转头压力机近年来发展很快，出现了许多形式，例如，按照主传动驱动方式分为机械式和液压式；按照模具的调换方式分为手工快速换模式、转盘自动换模式和直线移动换模式；按照机身形式分为开式和闭式；按照移动工作台的布置方式分为内置式、外置式和侧置式。

数控冲模回转头压力机的主要技术参数有公称压力、最大加工板料尺寸、最大板料厚度、最大模具尺寸、工位数和步冲每分钟行程次数等。最大加工板料尺寸为可安装在移动工作台上板料的最大尺寸，最大模具尺寸取决于压力机转塔或模具配接器的有关尺寸。

表 5-7 为几种数控冲模回转头压力机的主要技术参数。

**表 5-7** 几种数控冲模回转头压力机的主要技术参数

| 压力机型号 | | JK92—25 | JK92—30 | JK92—40 | PEGA344 | PEGA357 | RT—75 | RT—145 |
|---|---|---|---|---|---|---|---|---|
| 标称压力/kN | | 250 | 300 | 400 | 300 | 300 | 300 | 400 |
| 最大加工板料尺寸/mm | | 1000×2000 | 600×1200 | 1250×2500 | 1000×1000 | 1270×1830 | 750×1000 | 1500×2000 |
| 最大板料厚度/mm | | 6 | 3 | 6 | 6.35 | 6.35 | 6 | 6 |
| 最大模具尺寸/mm | | 110 | 84 | 110 | 114.3 | 114.3 | 100 | 154 |
| 工位数 | | 24 | 20 | 32 | 58 | 58 | 16 | 36/30 |
| 步冲行程次数/（次/min） | | 270 | 80 | 270 | 350 | 350 | 400 | 400 |
| 单冲行程次数（孔距 25mm 时）/（次/min） | | 180 | — | 180 | 220 | 200 | 200 | 240 |
| 孔间精度/mm | | ±0.15 | ±0.1 | ±0.15 | ±0.15 | ±0.1 | 0.1 | 0.1 |
| 主电动机功率/kW | | 5.5 | 4 | 5.5 | 5.5 | 5.5 | | |
| 机器重量/t | | 13 | 8 | 18 | 10.5 | 12 | — | — |
| 驱动方式 | 液压 | | | | | | | |
| | 机械 | √ | √ | √ | √ | √ | √ | √ |
| 机身形式 | 开式 | √ | √ | | | | √ | √ |
| | 闭式 | | | √ | √ | √ | | |
| 工作台布置 | 内置 | | | √ | √ | √ | | |
| | 外置 | | √ | | | | | √ |
| | 侧置 | √ | | | | | √ | |
| 备　注 | | 中　　国 | | | 日　　本 | | 瑞　　士 | |

### 5.5.3 数控冲模回转头压力机的典型结构

**1. 传动系统**

图 5-28 所示为 JK92—40 型数控冲模回转头压力机的传动示意图。压力机必须完成以下动作。

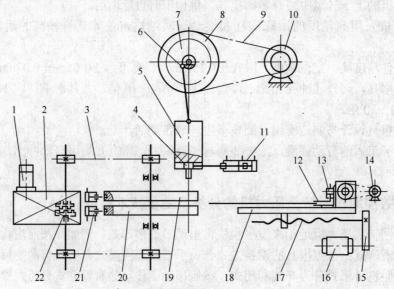

图 5-28 JK92—40 型数控冲模回转头压力机的传动示意图

1—回转头伺服电动机；2—减速箱；3—传动链；4—打击器；5—滑块；6—偏心轴；7—主离合器；
8—飞轮；9—带；10—主电动机；11—打击器气缸；12—夹钳；13—夹钳气缸；14—X 轴伺服
电动机；15—带；16—Y 轴伺服电动机；17—滚珠丝杠；18—移动料台；
19—上转盘；20—下转盘；21—转盘定位气缸；22—转盘离合器

（1）冲压。主电动机 10 通过带 9 带动飞轮 8 转动，通过主离合器 7 及制动器、偏心轴 6 和滑块 5 带动打击器 4 对板料进行冲压。

（2）模位选择。该机的回转头可装 32 套模具，分内、中、外三圈布置。为此装有一个三位置的打击器气缸 11，用于沿水平方向推动打击器 4，以选择内、中、外圈的冲模。圆周方向上模位的选择，由伺服电动机 1 经齿轮减速箱 2、离合器 22 和传动链 3，驱动上、下转盘 19、20 同向同步旋转来进行。为了使上、下转盘转位准确，保证凸、凹模对正，在转盘的圆柱面上设有 20 对锥形定位套，并用气缸 21 推动锥销插入定位套而使转盘定位。

（3）板料进给。伺服电动机 16 通过带 15、滚珠丝杆 17 带动移动料台 18 作 $Y$ 向运动。移动料台上装有作 $X$ 向运动的溜板，由伺服电动机 14 通过相应的滚球丝杆带动。溜板上装有两副夹钳 12，由夹钳气缸 13 和复位弹簧控制其夹紧和松开板料。板料平放在料台上由夹钳夹紧，便可跟随移动料台和溜板进给送料。

图 5-29 所示为 JK92—30 型数控冲模回转头压力机的传动简图，其主传动是由主电动机 11 通过带传动机构、蜗杆蜗轮机构、曲柄机构和肘杆机构驱动滑块 4 做上下运动，进行冲裁。模具在转盘上是单圈布置的，转盘的转动是由电液脉冲马达 12 通过两级锥齿轮和一级正齿轮的传动来驱动的，并用液动定位销 7 使转盘最终定位，保持上下模对正。板料在 $X$、$Y$ 方向进给，分别由两台电液脉冲马达通过滚珠丝杆驱动夹钳溜板和移动料台来实现。

2. 冲模回转头

图 5-30 所示为转盘（冲模回转头）结构。转盘可在中心轴上旋转。上转盘 2 和下转盘 1 上各有许多定位孔（数量与转盘可装置的模具副数对应），通过定位销 5 使转盘最终定位。模具的上、下模部分通过上、下模座分别安装在上、下转盘上。在上转盘的圆周上有从 0 开始、依照顺序排列的数字，表示模具的编号。下转盘圆周表面上有依次排列的发讯头，分别代表某一副模具的编号，借助电气部分读出装置，可以自动选择模具。

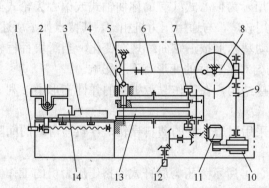
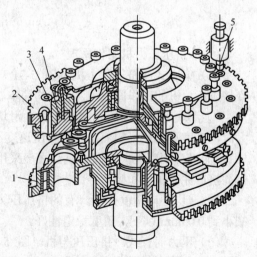

图 5-29 JK92—30 型数控冲模回转头压力机的传动简图

1、12—电液脉冲马达；2—滚珠丝杆；3—移动料台；
4—滑块；5—肘杆；6—连杆；7—液动定位销；
8—蜗轮；9—联轴器；10—电磁离合器；
11—主电动机；13—转盘；14—夹钳

图 5-30 转盘结构

1—下转盘；2—上转盘；3—下模；
4—上模；5—定位销

# 5.6 冷挤压压力机

冷挤压压力机主要用于在室温条件下对钢或有色金属材料进行挤压、压印等体积变形的冲压工艺。采用冷挤压工艺方法成型制件，具有零件尺寸精度高、表面粗糙度数值小、节省原材料、生产效率高、零件强度大、硬度高和能成型较复杂的形状及其他工艺方法难以加工的零件。

## 5.6.1 机械式冷挤压压力机的工作原理及特点

机械式冷挤压压力机按工作机构分为曲轴式或偏心式、压力肘杆式和拉力肘杆式 3 种，它们的工作原理如图 5-31 所示，行程-转角曲线如图 5-32 所示。

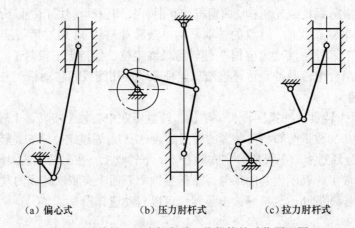

（a）偏心式　　　　　　（b）压力肘杆式　　　　　　（c）拉力肘杆式

图 5-31　冷挤压压力机各种工作机构的动作原理图

1．冷挤压压力机工作原理

（1）偏心式冷挤压压力机。图 5-31（a）所示为偏心式（有的称曲轴式或偏心齿轮式）冷挤压压力机的工作原理图，它结构简单、使用较广，与通用压力机相比，其特点如下所述。

① 滑块运行速度不均匀性较大。滑块运动基本上按正弦曲线规律变化，当滑块行程较大时，速度不均性更加突出，而挤压速度不均匀对挤压件的变形有不利影响。

② 机身刚度大大提高。机身大多采用焊接结构，在工作时，机身的弹性变形小，利于提高挤压件的精度和模具寿命。

③ 滑块导向精度提高。有的挤压压力机采用耐磨性好的塑料导轨，导轨与滑块的间隙减小到 0.05mm 以下，精度稳定性好。

（2）压力肘杆式冷挤压压力机。图 5-31（b）所示为压力肘杆式冷挤压压力机的工作原理图，它的特点是滑块在开始挤入时的速度较小，凸模对模具的冲击较小，在挤压过程中滑块的速度变化较为平缓。但行程受到机构的限制不能很大，挤压时的压力行程（有效行程）也较小，故不宜挤压工作行程较大的零件。

（3）拉力肘杆式冷挤压压力机。图 5-31（c）所示为拉力肘杆式冷挤压压力机的工作原理图，它具有压力肘杆式冷挤压压力机的特点，并且滑块在工作行程中的速度更为均匀，这对挤压工件的塑性变形极为有利。

比较这 3 种类型的冷挤压压力机可以看出，挤压同样长度的坯料时，拉力肘杆式的加压时间最长、压力肘杆式次之，但这两者的工作行程都较短，所以只适合挤压较短的工件，而偏心式则适合挤压较长制件。从行程末端的压力来看，拉力肘杆式压力最大、压力肘杆式次之，偏心式较小。

图 5-32 所示为 3 种类型冷挤压压力机的曲柄转角与滑块行程之间的关系曲线，反映出拉力肘杆式在接近下死点时行程曲线较平缓，即加压时的速度较慢，而偏心式在接近下死点时行程曲线较陡，即加压的的速度比其他较快。

2. 冷挤压压力机的特点

综合冷挤压压力机的特点，主要有如下几方面。

（1）具有较大的挤压能量。挤压时挤压力在挤压全程几乎不变，工作负荷图几乎成矩形（见图 5-33），每次行程消耗很大的能量。挤压压力机也是利用飞轮来储存和释放能量的，因此挤压压力机的飞轮转动惯量和电动机功率都比较大。

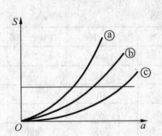
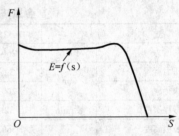

图 5-32 冷挤压工作机构的行程-转角曲线
a—偏心式；b—压力肘杆式；c—拉力肘杆式

图 5-33 冷挤压工作负荷图

（2）具有足够的刚度。冷挤压工艺压力大，载荷集中，为保证冷挤压件质量，提高模具寿命，冷挤压压力机必须有足够的刚度。故机身通常采用铸钢或钢板焊接结构。工作机构则采用偏心轴或偏心齿轮，并采取加大连杆与滑块的接触面、加强连杆和滑块本身的刚度、增强装模高度调节等措施来减少工作机构的变形，以提高挤压机的刚度。

（3）具有高的导向精度。挤压凸模多为细长结构，且硬度和脆性高，抗弯能力差，而挤压变形抗力大，当滑块下平面与工作面平面之间产生倾斜时，易折断凸模。因此，为提高挤压件的质量和模具寿命，要求滑块的导向精度要高。一般通过加大滑块导向长度与滑块宽度的比值来减少滑块倾斜，或采用滚动导向减小间隙，以提高滑块导向精度。

（4）具有合理的挤压速度。根据挤压成型需要，滑块空程向下和回程的速度都应该较高，而当上模接触金属坯料前应降低速度、减小冲击，并采用低速挤压，且这一速度保持到挤压变形过程的结束。一般认为较好的挤压速度在 0.1～0.4m/s 范围内。因此冷挤压压力机的滑块内设有液压缓冲装置。

（5）具有可靠的顶料装置。冷挤压机除应能提供足够的顶出力外，还应满足动作要求即当上模离开挤压件时才开始顶出，而当滑块上行到上死点位置之前，顶出动作应完毕，滑块在上死点附近停顿时，顶料装置应全部退回。

（6）具有可靠的过载保护。在冷挤压过程中，往往由于毛坯尺寸超差、材质不均匀以及其他原因造成过载，为了保护模具及机器，就必须具备可靠的过载保护装置。

（7）具有对模具进行润滑和冷却的装置。挤压过程产生大量的热量，冷挤压压力机具有向模具和挤压件喷射润滑冷却液的装置，由此提高挤压件的表面质量和模具寿命。

### 5.6.2 机械式冷挤压压力机的分类及主要技术参数

冷挤压压力机按驱动方式分为机械式冷挤压压力机和液压式冷挤压压力机。机械式冷挤压压力机主要用于中小型零件加工，其挤压力和行程较小、生产率较高。液压式冷挤压压力机的工作行程较长，在挤压成型过程中保持最高的和稳定的压力，而且其挤压工艺参数可以进行调节，适合于挤压行程较大和挤压力较大的零件。本节介绍目前大量用于生产的机械式冷挤压压力机。机械式冷挤压压力机按工作机构分为曲轴式或偏心式、压力肘杆式和拉力肘杆式3种。机械式冷挤压按传动部分的安装位置可分为上传动式和下传动式；按挤压凸模的运动方向分为立式和卧式。

国产挤压压力机有偏心式下传动挤压机、开式及闭式拉力肘杆式挤压机、卧式曲轴式挤压机等几个品种。表5-8为部分国产挤压机的主要技术参数。

表 5-8 　　　　　　　　　　　　　　金属挤压机的技术参数

| 型　　号 | | | J87—250A | JA87—400 | J88—160 | JA88—200 | JB88—200 |
|---|---|---|---|---|---|---|---|
| 公称压力 | | 10kN | 250 | 400 | 160 | 200 | 200 |
| 公称压力行程 | | mm | 32 | 28 | 4 | | 5 |
| 滑块行程 | | | 200 | 250 | 70 | 273 | 300 |
| 滑块行程次数 | | 次/min | 32 | 25 | 80 | | 70 |
| 最大装模高度 | | mm | 560 | 670 | 260 | 480 | 480 |
| 装模高度调节量 | | | 80 | 80 | 30 | 12 | 12 |
| 最大单次行程数 | | 次/min | 20 | 15 | | | |
| 输出功 | 连续行程 | J | 33000 | 65000 | | | |
| | 单次行程 | | 80000 | 112000 | | | |
| 上推料装置 | 行　程 | mm | 40 | 50 | | | |
| | 推料力 | 10kN | 6.3 | 10 | | | |
| 下推料装置 | 行　程 | mm | 100 | 125 | | | |
| | 推料力 | 10kN | 25 | 40 | | | |
| 工作台板尺寸（前后×左右） | | mm×mm | 750×670 | 850×670 | 600×430 | | |
| 滑块底面尺寸（前后×左右） | | | 750×670 | 670×630 | 350×400 | | |
| 功　率 | 主传动电动机 | kW | 55 | 75 | 5.5 | | 11 |
| | 滑块调整电动机 | | 1.1 | 1.1 | | 11 | |
| 外形尺寸 | 长 | mm | 2164 | 2500 | 1770 | 1500 | 1500 |
| | 宽 | | 2366 | 2610 | 1420 | 3300 | 3300 |
| | 地面高度 | | 2915 | 3800 | 2260 | 1510 | 1510 |
| 压力机质量 | | kg | 24500 | 38000 | 4400 | 6500 | 6500 |

### 5.6.3 机械式冷挤压压力机的典型结构

以 J88—100 型拉力肘杆式冷挤压压力机为例，介绍该机的传动原理、滑块结构、下顶料装置和过载保护装置。

1．传动原理

J88—100型拉力肘杆式冷挤压压力机的传动原理如图5-34所示。传动部分安置在底部（称为下传动）通过皮带、齿轮减速，将主电动机1的能量传递给左右曲柄轴8，使其产生转动，再通过曲柄轴两端的连杆9带动摆杆10，摆杆10的摆动经过左右肘杆11驱动滑块12上下运动，完成挤压工作。由图可知，曲柄、连杆、摆杆、肘杆均为对称设置，受力均匀，传动平稳，滑块工作时所受的载荷均由上述部件承受（这些部件的强度和刚度都比较高），机身只承受侧向力。所以滑块的导向精度较高，能适应挤压工艺的需要。该压力机的传动齿轮都封闭在机身内，并采用油浴润滑，因此运动平稳、噪声小、结构比较紧凑。

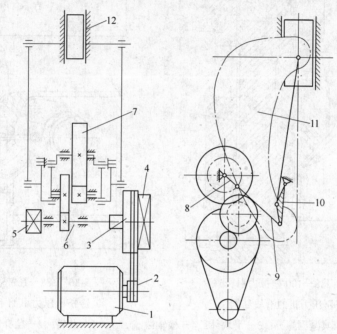

图5-34　J88—100型拉力肘杆式冷挤压压力机的传动原理

1—主电动机；2—小皮带轮；3—飞轮；4—离合器；5—制动器；6—传动轴；
7—斜齿圆柱齿轮；8—曲柄轴；9—连杆；10—摆杆；11—肘杆；12—滑块

2．滑块结构

J88—100型拉力肘杆式冷挤压压力机的滑块结构如图5-35所示。横轴4穿过滑块中部，其两端与肘杆连接，在肘杆的带动下，滑块作上下运动。滑块由滑块体3及滑块外套5等组成。模具夹板1、模具紧固螺钉2用于紧固冷挤压模的模柄。件10为上顶料杆，当滑块回程接近上死点时，上顶料杆被紧固在机身上的螺栓挡住，可把上模内的挤压件顶出。通过件6、7、8可以调节挤压机的封闭高度，调节过程为松开锁紧块11和紧固螺母12，转动调节齿轮8、7，使大螺母6转动，滑块体3可在滑块外套内作上下移动，从而可以改变冷挤压压力机的封闭高度。

3．下顶料装置

图5-36所示为J88—100型拉力肘杆式冷挤压压力机的下顶料装置，该机采用凸轮控制式顶料装置。当凸轮1转动到一定位置时，驱动摆杆2摆动，通过拉杆3使摇臂4转动，从

而使下顶料杆 6 向上移动，从下模中顶出挤压件。下顶料杆 6 的复位由弹簧 7 完成。顶出长度可通过调整螺母 5 调节。

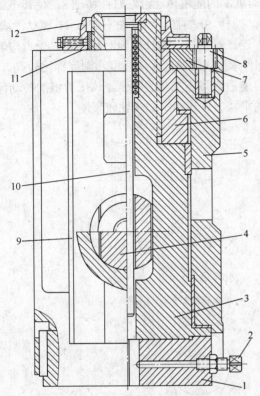

图 5-35　J88—100 型拉力肘杆式
冷挤压压力机的滑块结构

1—模具夹板；2—模具紧固螺钉；3—滑块体；4—横轴；

5—滑块外套；6—大螺母；7—大调节齿轮；

8—小调节齿轮；9—导轨；10—上顶料杆；

11—锁紧块；12—紧固螺母

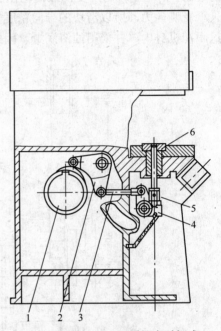

图 5-36　J88—100 型拉力肘杆式
冷挤压压力机的下顶料装置

1—凸轮；2—摆杆；3—拉杆；

4—摇臂；5—调整螺母；

6—下顶料杆

### 4. 过载保护装置

图 5-37 所示为 J88—100 型拉力肘杆式冷挤压压力机的机械式过载安全保护装置。工作时，肘杆承受挤压力产生的弹性变形，使其上的弓形板簧 1 的圆弧半径也随之增大。当压力机超载、弓形板簧变形达到一定值时（该值出厂前经过压力标定，已调整好弓形板簧和顶杆 2 的相对位置），顶杆受推动而碰触微动开关 4，通过切断主机电源脱开离合器，制动器制动，从而起到超载保护作用。百分表 3 的作用是通过其读数，并对照压力机上的压力标牌，可查出滑块的受力情况。

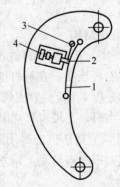

图 5-37　J88—100 型拉力肘杆式冷挤压
压力机的过载安全保护装置

1—弓形板簧；2—顶杆；3—百分表；
4—微动开关

# 5.7 压 铸 机

压力铸造简称压铸，它是机械制造工业中发展较快的一种少无切削的特种精密铸造工艺。压铸是采用压铸机使液态或半液态合金在高压和高速下充填铸型型腔（铸型又称压型、压铸模，即模具），并在高压下成型和结晶的一种铸造方法。高压和高速是压铸与其他铸造方法不同的重要特点。压铸有以下主要特点：压铸件尺寸精度和表面质量高；压铸件组织致密、硬度和强度较高；能采用镶铸法简化装配和制造工艺；生产效率高，易于实现自动化和机械化；压铸件易出现气孔和缩松；压铸结构复杂、材料及加工要求高、模具费用高；适合大批量生产制品。

## 5.7.1 几种压铸机的工作原理及特点

### 1. 热压室压铸机

热压室压铸机的压射部分与金属液的熔化（或保温）部分连在一起，并浸在金属液中如图 5-38 所示。装有金属液的坩埚 5 内放置一个形似浇壶的压室 4，金属液从压室壁的通道 $a$ 进入压室内腔和鹅颈通道 $c$，鹅颈嘴 $b$ 与压型浇口相通，鹅颈嘴 $b$ 的高度应比坩埚内金属液的最高液面略高，使金属液不致自行流入型腔。压射头 3 与压射室 4 相配合，可上下运动。压射前，压射头处在通道 $a$ 的上方。压射时，压射头向下运动，运行至封住通道 $a$、压射室、鹅颈直至型腔构成封闭的系统。压射头以一定的推力与速度将金属液压入型腔，充填成型。充填完毕，保压适当时间

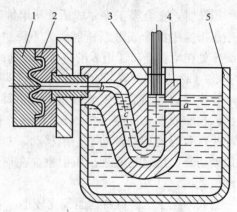

图 5-38 热压室压铸机工作原理
1—动模；2—定模；3—射头；4—压射室；5—坩埚；
$a$—压室通道；$b$—鹅颈嘴；$c$—鹅颈通道

后压射头提升复位。鹅颈通道内未经凝固的金属液流回压室，坩埚里的金属液又向压室补充，直至鹅颈通道内的金属液面又恢复到和坩埚内液面呈水平，待下一循环压射。每压射完成、待铸件凝固后，动模 1 移开（定模 2 不动）称为开模，并取出铸件，而后动模 1 移动与定模闭合，称为合模，合模后才能压射。机器的这些动作均由专门机构按工艺程序互相配合进行。

热压室压铸机容易实现生产过程自动化，并且生产率高、金属消耗量少。但压室长时间浸没在高温的金属液中易被侵蚀，不但影响压射构件的使用寿命，而且将增加合金中的杂质成分，导致压铸合金成分不纯，此外，这种压铸机的压射比压较小。所以目前多用于铅、锡、锌等低熔点合金铸件的生产。

### 2. 立式冷压室压铸机

图 5-39 所示为立式冷压室压铸机原理图。锁模部分呈水平设置，负责模具的开合及压铸件的顶出工作；压射部分呈垂直布置，压射冲头 3 与压射室 4 上下相对运动。压射室与金

属熔炼炉（或保温炉）不是连成整体，而是分开单独设置。

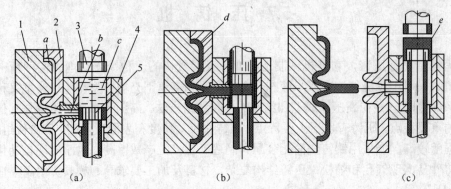

图 5-39　立式冷压室压铸机工作原理

1—动模；2—定模；3—压射冲头；4—压射室；5—反料活塞冲头；
a—模腔；b—浇道；c—金属液；d—铸件；e—余料

压铸时，在合模工序完成后，从熔炼炉或金属液保温炉中，提取金属液倒入压射室内，为使压射室中的金属液当压射头未下降进行压射之前不会自动流入模腔，必须使反料活塞冲头 5 处在堵住浇口通道 b 的位置上。为此，可采用弹簧或分配阀控制反料活塞的高度（见图 5-39（a）所示位置）。当压射冲头下降接触金属液时，反料活塞冲头随压射冲头往下移动、让出浇口通道后，受到限位不再下降。金属液在继续往下移动的压射冲头的推压下，被压入模腔成型（见图 5-39（b）所示位置）。待铸件凝固后，压射冲头上升复位，反料活塞冲头在专门机构的推动下往上移动，并在反料活塞冲头上升过程中先将余料 e 从直绕道入口处切断，继之将其顶出压射室，在切断余料后，即可进行开模与取件（见图 5-39（c）所示位置）。

立式冷压室压铸机占地面积比较小，金属液杂质在直立的压室中上浮，压射时不容易进入模腔，有利于提高铸件质量。与卧式压铸机相比，便于压铸具有中心浇口的铸件。但是，该机多了一组切割余料与顶出余料的机构，使机器复杂化。机器较高，对厂房提出相应要求。机器安装基础要挖地坑，带来安装与维修等困难。余料切断以前不能开模，因而生产周期较长，生产率一般不及卧式压铸机。金属液从压室进入模腔须经 90° 转折，能量损失大，很难传递最终静压力，故要较大的压射力。立式冷压室压铸机可以用于锌、铝、镁和铜合金的生产。

3．卧式冷压室压铸机

卧式冷压室压铸机的基本结构与成型过程，如图 5-40 所示。这种压铸机的压射室 3 与合金熔炼炉或金属液保温炉也是分开设置的，压射室的中心线垂直于压铸模的分模面，相对运动的压射冲头 4 与压射室 3 呈水平布置。

工作时，将金属液 c 注入压射室中（见图 5-40（a））；而后压射冲头向前推进，将金属液经压铸模的内浇口 a 压入已合模的模腔 b 中，施压成型（见图 5-40（b））；待铸件凝固后，打开动模 1，此时带着余料 e 的铸件 d 被继续推动着的压射冲头从定模 2 中推出（见图 5-40（c））继之取件，至此完成一个操作循环。

卧式较之立式压铸机，其压室结构较简单，制造、更换零件十分方便，使用中产生故障少。金属液流程短，拐弯少，充模时比压和热量的损失较小，铸件致密性好，显然，机器的功率消耗也少。开模时压射冲头便把余料顶出，生产率高。但压射室内的金属液与空气接触，产生氧化的表面较大，而且氧化渣等会进入模腔，影响铸件质量。又由于结构上的关系，当用于压铸具有中心浇口的铸件时，必须在压铸机上增设切断余料及顶出余料的专门机构。或者在模具结构设计中另设专门的装置来解决。

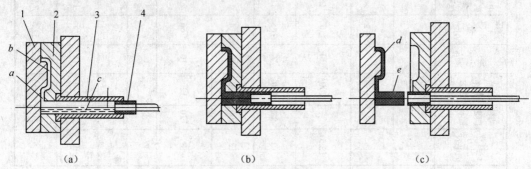

图 5-40　卧式冷压室压铸机工作原理

1—动模；2—定模；3—压射室；4—压射冲头；

$a$—内浇道；$b$—模腔；$c$—金属液；$d$—铸件；$e$—余料

在应用方面，立式冷压室压铸机能生产的合金品种，卧式冷压室压铸机都可以生产。卧式冷压室压铸机的优点居多，至于其不足之处，可以通过工艺及其装备等加以克服。据报道，现在世界各国生产的冷压室压铸机总量中，大多数（近 99%）是卧式的压铸机。美国现在已不生产也不使用立式冷压室压铸机了。我国目前主要发展的也是卧式冷压室系列的压铸机产品。

### 5.7.2　压铸机的分类及主要技术参数

随着压铸生产的不断发展，压铸机的数量和种类也不断增加。对压铸机进行分类，一般是根据其压射室所处的工作环境，或者压射室在压铸机上的设置位置来进行的。常见的分类有：按压铸机的压射室和压射冲头是否浸入熔融金属分为热压室压铸机和冷压室压铸机；按压射头的运动方向分为立式压铸机和卧式压铸机；按通用性分为通用压铸机和专用压铸机；按自动化程度分为半自动和全自动压铸机。目前应用较多的是卧式冷压室压铸机。

目前，国产压铸机已经标准化，其型号主要反映压铸机类型和锁模力大小等基本参数。压铸机型号表示方法为"J××××"，其意义是："J"表示"金属型铸造设备"；J 后第一位阿拉伯数字表示压铸机所属"列"，压铸机有两大列，分别用"1"和"2"表示，"1"表示"冷压室"，"2"表示"热压室"；J 后第二位阿拉伯数字表示压铸机所属"组"，共分 9 组，"1"表示"卧式"，"5"表示"立式"；第二位以后的数字表示锁模力的 1/100kN；在型号后加有 A、B、C……字母时，表示第几次改型设计。如：

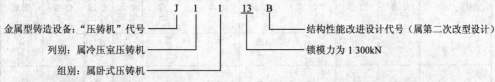

表 5-9 列出了我国部分压铸机的主要技术参数。

表5-9　部分压铸机的主要技术参数

| 序号 | 型号 | 名称 | 合模力 | 合模行程/mm | 拉杆内间距/mm | 压铸模厚度/mm | 压射力/10kN | 压射行程/mm | 压射比压/$10^5$Pa | 压射室直径/mm | 动模拖板最大行程/mm | 压射室偏心位置/mm | 压铸件投影面积/cm² | 压铸件最大质量/kg | 切反料力/10kN | 铸件顶出力/10kN | 铸件顶出行程/mm | 管路工作压力/$10^5$Pa | 空循环周期/s | 液压泵流量/L·min⁻¹ | 电动机功率/kW | 电机重量/10kN | 机器外形尺寸（长/mm)×(宽/mm)×(高/mm) 主机 | 蓄能器 |
|---|---|---|---|---|---|---|---|---|---|---|---|---|---|---|---|---|---|---|---|---|---|---|---|---|
| 1 | J113 | 卧式冷室压铸机 | 25 | | | | | | | φ20 φ35 φ40 | 250 | | | | | | | | | | | | | |
| 2 | J116 | 卧式冷室压铸机 | 63 | | | | | | | φ30 φ40 φ45 | 320 | | | | | | | | | | | | | |
| 3 | J1113A | 卧式冷压室压铸机 | 125 | 450 | 650 | 350 | 7~14 | 320 | 365~1115 | φ45 φ50 φ60 φ70 | 450 | 0~1.25 | 95 150 250 290 | 铝 2 | | 12.5 | | 100 | 20 | 50 | 15 | 6 | 4000×1540×1370 | 2610×560×810 |
| 4 | J1116 | 卧式冷压室压铸机 | 160 | 350 | 420×420 | 200~550 | 8.5~20 | 340 | 330~1600 | φ40 φ50 φ60 | 450 | 0 70 140 | 100~485 | 铝 1.8 | | 10 | 80 | 120 | 7 | 165 | 11 | 5.5 | 485×1400×1800 | |
| 5 | J1125B | 卧式冷压室压铸机 | 250 | 400 | 520×520 | 250~650 | 12.5~28 | 395 | 250~1400 | φ50 φ60 φ70 | 400 | 0 80 160 | 250~800 | 铝 3.2 | | 12 | 100 | 120 | 8 | 114 | 15 | 9 | 5925×2500×1540 | |
| 6 | J1140A | 卧式冷压室压铸机 | 400 | 450 | 620×620 | 300~750 | 18~40 | 480 | 350~1415 | φ60 φ70 φ80 φ85 | 450 | 0 100 200 | 283~1143 | 铝 4.5 | | 18 | 120 | 120 | 10 | 266 | 22 | | 7275×2420×1850 | |
| 7 | J1363 | 卧式冷压室压铸机 | 630 | | | | | | | | 650 | | | | | | | | | | | | | |
| 8 | J1512 | 立式冷压室压铸机 | 120 | | | | | | 最大 564 | φ80 φ100 | 450 | | | | 13.5 | | | | | | | | | |
| 9 | J1513 | 立式冷压室压铸机 | 125 | 350 | 420×420 | 250~500 | 13.5~34 | 260 | 270~680 | φ80 | | | 183~460 | 铝 1.3 | | 10 | 80 | 120 | 18 | 75 | 15 | 5.2 | 3590×1700×2800 | |
| 10 | J2213A | 热压室压铸机 | 25 | 200 | 240×240 | 120~320 | 3 | 105 | 189 | φ45 | | 0~40 | 132 | 锌 0.6 | | 2.5 | 50 | 70 | 3 | 52.5 | 7.5 | 2.5 | 3350×1760×1230 | |

### 5.7.3　压铸机的典型结构

**1. 合模机构**

合模机构是压铸机的重要组成部分，主要完成模具的开合动作及压铸件的顶出等工作。该机构的优劣直接影响压铸件的生产率、压铸件的精度、压铸模的使用寿命以及操作的安全等。因此要求合模机构开合自如、动作既平稳又迅速、锁紧可靠，便于压铸模的装卸更换与清理，以便于压铸件的取出。同时，为能适应安装不同厚度的压铸模要求，其行程可以在一定范围内做相应的调整。压铸机的合模机构与塑料注射机相似，也有液压锁模和液压-机械联合锁模两大类合模机构。

图 5-41 所示为 J1113A 型压铸机采用的全液压复缸增压式合模机构。整个机构由合模缸组、活塞组、动模板 5、充液箱 2、填充阀 3 和增压器 7 等组成。$V_3$ 为开模腔，$V_1$ 为内合模腔，$V_2$ 为外合模腔，活塞组中的差动活塞 1 和外活塞及动模板相连接。合模时，$V_1$ 通入压力油，这时候虽然 $V_3$ 也通入压力油，但由于差动活塞两边受力不同而向右移动，带着动模快速右移。随着动模板 5 的移动过程，$V_2$ 腔的容积不断增大而形成较大的真空度，自动打开填充阀 3（见图 5-42，此时该阀的 $a$ 孔通压力油）的大阀门 2，使大量油液从充液箱向 $V_2$ 合模缸充液进行快速合模，当动模将要触及定模（合模）时，由于动模板 5 拖动着拉杆凸块打开凸轮阀（本图未示出），压力油进入 $V_2$ 腔，$V_2$ 腔内压力升高，填充阀的大阀门关闭，转为慢速合模，直至压模闭合，此时 $V_2$ 腔内压力升高到与管路中压力一致（10MPa），但尚未达到该机压射时所需要的最大锁模力（锁模力），因此增压器开始起作用，（图 5-43 所示为增压器结构简图）。从机构油液通道关系中，可见增压器通道 $e$ 与 $V_2$ 腔相通，压射时压力油从通道 $c$ 进入增压器，克服弹簧 4 的弹力，顶开止回阀门 3，继而进入增压器液压缸的左腔（活塞 6 实际上既是差动活塞又是增压活塞），推动活塞右行，使 $V_2$ 腔内压力增高；实现了增压，使 $V_2$ 腔压力达 23MPa，锁模力达 1 250kN。

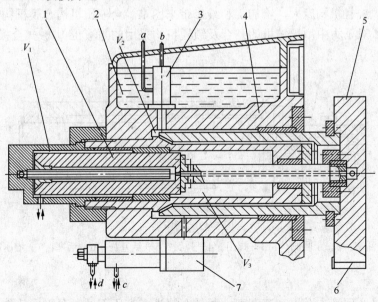

图 5-41　全液压复缸增压式合模机构

1—差动活塞；2—充液箱；3—填充阀；4—合模缸座；5—动模板；6—凸块；7—增压器

开模时，$V_1$ 腔和增压器从孔 $c$ 回油，压力撤销，合模机构的差动活塞在 $V_3$ 腔的常压压力油作用下，带着动模回位开模。此时，$V_2$ 腔内的油液必须迅速排回充液箱，为此压力油从填充阀的上端 $b$ 孔通入，让先导推杆 6 推开先导阀门 4，进而打开大阀门 2，使 $V_2$ 腔中油液先慢后快地排回充液箱，以达到开模过程的动作先慢后快的目的。

全液压传动开合模及锁模机构的特点简述如下。由于以油液为工作介质，又应用组合缸结构，所以工作平稳、推力大、效率高，可以获得比动力源大好几倍的输出力（在实际应用中有达十几倍至二十几倍的）。对于不同厚度的压铸模，安装时不必调整合模缸座的位置都能适应，从而省去了移动合模缸应用的调整机构，在生产中压铸模的受热膨胀也可以自动补偿而不影响锁模力的大小（只要在液压系统压力稳定的情况下，就能保持锁模力恒定）。机构也较简单，操作方便。但是，全液压传动合模机构的工作周期比较长，因为除了动模移动行程所耗的时间外，为获得大的锁模力而设置了增压器，还需要加上增压器的作用时间。尤其是对于大吨位的压铸机，为具有更大的锁模力，液压缸直径就做得相当大，增压时间就较长。这样不但影响工作速度、降低生产率、动力消耗大、且机构庞大，给加工和维修带来困难。全液压机构合模机构一般用于小型或中型压铸机，对于大中型压铸机的开合及锁模机构采用的是液压-机械式合模机构。

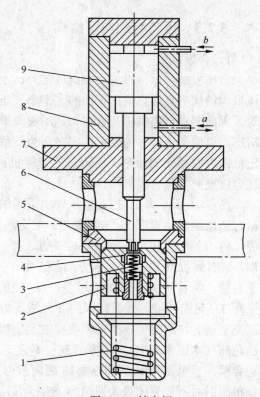

图 5-42　填充阀

1—压力弹簧；2—大阀门；3—弹簧；4—先导阀门；5—阀座；6—先导推杆；7—缸座；8—活塞缸；9—活塞

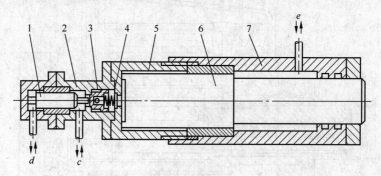

图 5-43　增压器

1—活塞；2—止回阀体；3—阀门；4—弹簧；5—活塞杆；6—活塞；7—增压缸

## 2. 压射机构

压射机构是实现液态金属高速充型，并使金属液在高压下结晶凝固成铸件的重要机构。
图 5-44 所示为 J1113A 型压铸机采用的三级压射机构，它由带缓冲器的普通液压缸和增

压器组成，联合实现分级压射，具有两种速度和一次增压压射的机构。压射室 1 和压射缸固定在压射支架 16 上，支架底部装有升降器 17，以便调节压射机构位置，使之与模具浇口套对准。

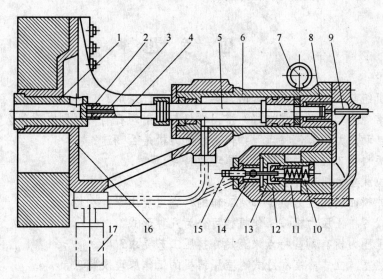

图 5-44　压射增压机构

1—压射室；2—压射冲头；3—冷却水通道；4—压射杆；5—活塞杆；6—压射缸；

7—压力表；8—分油器；9—节流阀杆；10—弹簧；11—背压腔；

12—增压活塞；13—止回阀阀芯；14—油孔；15—调节螺杆；

16—压射支架；17—升降器

（1）第一级压射：压力油经增压器的油孔 14 进入，由于增压器活塞的背压腔 11 有背压，增压活塞 12 不能前移，压力油经活塞中的止回阀进入压射缸的后腔，汇集在缓冲杆周围的分油器 8 中，由于节流阀杆 9 的作用，只有很小流量的压力油从分油器的中心孔进入，作用在压射活塞缓冲杆的端部截面上，作用力也小。因而压射活塞慢速前进，进行慢速压射，压射冲头缓缓地封闭压射室注液口，以免金属液溢出，同时有利于压射室中空气的排出和减少气体卷入。

（2）第二级压射：当压射冲头越过注液口（即缓冲杆脱开分油器 8 时），大流量压力油进入压射缸，推动压射活塞快速前进、实现快速压射充模。

（3）第三级压射：金属液充满模腔、压射活塞停止前进的瞬间，增压活塞及止回阀阀芯前后压力不平衡，增压活塞因压差作用而前移，止回阀阀芯在弹簧作用下自行关闭，实现压射增压。

压射结束后，只要压射缸前腔进入压力油，同时增压器的油孔 14 回油即实现压射冲头回程。回程后期由于缓冲杆重新插入分油器中，回程速度就会降低起缓冲作用。这种压射机构其压射速度和压射力均按工艺要求进行调节。

（1）压射力的调节：从上述分析可以看出，当压射活塞面积一定时，压射力决定于增压压力，而增压压力的大小决定于背压腔压力的大小，背压力越大增压力越小，反之亦然。背压力可通过接通背压腔油路上的单向顺序阀与单向节流阀配合调整。J1113A 型压铸机的压射增压压力最高可达 20MPa，相应的最大压射力达 140kN（无级调节范围是 70～140kN）。

（2）压射速度的调节：第一级低速压射速度，可通过分流阀的调节螺杆 9 调节；第二级高速压射速度，由油口 14 的调节螺杆调节。

# 思 考 题

1. 挤出机组与挤出机的含义如何？各由哪些部分组成？
2. 何谓常规全螺纹三段式螺杆？挤出螺杆与注射螺杆有何区别？为什么？
3. 高速自动压力机有何特点？如何衡量压力机是否高速？
4. 简述板料多工位压力机的工作原理及特点。
5. 双动拉深压力机有什么特点？
6. 数控冲模回转头压力机是如何工作的？它主要用于什么场合？
7. 机械式冷挤压压力机按工作机构可分为几种形式？
8. 冷挤压压力机有哪些特点来满足冷挤压工艺要求？
9. 简述热室、立式冷室和卧式冷室压铸机的工作原理及特点。
10. 何谓压铸三级压射？简述 J1113A 型压铸机压射机构三级压射的工作原理。

# 参 考 文 献

[1]  北京化工学院、华南工学院合编. 塑料机械设计. 北京：机械工业出版社，1984.

[2]  何德誉. 曲柄压力机. 北京：机械工业出版社，1987.

[3]  何德誉. 曲柄压力机. 北京：机械工业出版社，1989.

[4]  王卫卫. 金属与塑料成型设备. 北京：机械工业出版社，1996.

[5]  欧圣雅. 冷冲压与塑料成型机械. 北京：机械工业出版社，1998.

[6]  压铸模设计手册编写组编著. 压铸模设计手册. 北京：机械工业出版社，1981.

[7]  赵呈林. 锻压设备. 西安：西北工业大学出版社，1987.

[8]  孙凤勤. 冲压与塑压设备. 北京：机械工业出版社，1997.

[9]  严亚林. 冲压与塑压成型设备. 西安：西安交通大学出版社，1999.

[10]  张丽叶. 挤出成型. 北京：机械工业出版社，2002.

[11]  范有发. 冲压与塑压成型设备. 北京：机械工业出版社，2001.

[12]  俞新陆. 液压机. 北京：机械工业出版社，1994.

[13]  杨开顺. 冷挤压工艺实践. 北京：国防工业出版社，1986.

[14]  中国机械工程学会锻压分会. 锻压手册. 北京：机械工业出版社，1993.